# 小吃貨辦案

## 地獄鬼椒事件 上

文 王宇清
圖 李秉軍

# 目次

# 主要人物介紹

## 夏蔚仙

綽號阿仙，怕生、緊張的時候會口吃。個子小小，在班上是個不起眼的邊緣人。

## 露露

市場服飾店之女，開朗大方，擅長察言觀色，很愛打扮。

## 小麥

沉默寡言，在家自學。擅長科學和電腦。除了小吃，最喜歡的就是超涼薄荷口香糖。

## 叉燒

阿仙的愛犬，小型米克斯，很貪吃。

## 阿仙爸爸

作家，阿仙的最大靠山。

## 阿仙媽媽

擔心阿仙功課，但最後總是讓阿仙投入自己喜愛的事物。

## 許琳恩

事件委託人，學校裡的模範生，完美的偶像。

## 許達洋

琳恩的哥哥。比妹妹更受歡迎的校園偶像。

# 作者的話

## 超能力、金頭腦和什麼都沒有

王宇清

小時候我最崇拜超級英雄，特別是能力強大的蜘蛛人、閃電俠、浩克等等，一定要擁有厲害的超能力，才可以打敗可怕的外星人、大壞蛋、保護地球呀！

長大了一點之後，我又著迷起柯南、福爾摩斯這樣的名偵探，他們擁有天才的金頭腦，能洞察最細微的線索，識破歹徒的詭計，將犯人繩之以法，帥到炸裂！

啊！真想像這些超級英雄和名偵探一樣，伸張正義，打擊犯罪！可是自己既沒有超能力、也沒有金頭腦，甚至沒有任何擅長的運動，反應也超級遲鈍。

我越想越自卑。

——我，什麼都沒有。

——我是不可能成為英雄的。

——我，什麼都做不了。

唉！

後來我漸漸領悟，有很多英雄正因為是凡人，所以才更加偉大。

沒有超能力的英雄，卻願意捨命在槍林彈雨中和恐怖至極的強敵作戰，這不是更加勇敢與不凡嗎？

有更多警探和偵探，是靠著鍥而不捨的努力和堅持，為受害人找回正義。

社會上有許多見義勇為的人、樂善好施的人、提供溫暖關懷的人，都是讓弱者得到幫助的英雄。

英雄，不一定要是「天生就很厲害的人」，或者去做「很了不起的大事」。

在必要的時候挺身而出，對弱者伸出援手的人，就是英雄。

故事裡的主角——阿仙就是如此平凡的偵探。

她容易緊張，迷糊傻氣，不擅言詞，還只是個小學生。

阿仙也有思慮不周的時候，做不到縝密無縫，有時甚至失誤連連。但這全然不影響阿仙為弱者奮力發聲。那份善良、勇氣、行動和堅持，才是偵探最寶貴、最偉大的特質。

而善良的心意和行動，也會感染周圍的人，讓他們感受到溫暖，進而凝聚成更大的力量。

願你們喜歡阿仙，和小白屋偵探社的故事。

願大家都成為英雄。

# 好評推薦

**李權洋**

作為《什麼都沒有雜貨店》的忠實粉絲，看到老師的新作期待萬分！一翻開就看到驚喜！原來思索好久的「什麼都沒有」是這個意思！有趣極了！平凡如我，什麼聰明才智都沒有的我，也好享受跟著三位偵探美少女，一起解出「最有」的謎團懸案！

「什麼都沒有雜貨店」兒童情境喜劇導演

**顏志豪**

看似一個無聊的委託案，沒料到事情卻如漣漪般蕩漾開來，整個情節沒有暴力與仇恨，只有閱讀推理故事時的興味，在友情與親情的調味下，更為精彩有趣，非常適合孩子閱讀

兒童文學作家

**汪仁雅**

《小吃貨辦案》不只有抽絲剝繭的精彩推理，還兼容勇氣、友誼和責任感，佐以香濃的食物氣味和字裏行間的良善體貼，一一為故事巧妙點睛。

「繪本小情歌」粉專版主

巫佳蓮

兒童文學工作者、「故事鑄字行」版主

（非日常的狗狗誤食事件＋日常可見的小學生偵探）× 臺灣美食＝色香味俱全的兒童推理故事！

推理不只需要清晰的邏輯思維，更需要一顆追求真相的赤誠之心。《小吃貨辦案》沒有開外掛的超能力和炫炮黑科技，卻有著縝密的推導，是越讀越有滋味的本格系兒童推理故事。

許伯琴

「我們家的睡前故事」親子共讀頻道主持人

能義無反顧的向著夢想奔馳是一種幸福；追夢的路上有相知相惜的朋友相伴更幸福；若是能邊吃邊築夢，就是無與倫比的幸福！小吃貨們真是一群令人羨慕的幸福小偵探啊——。

# 奇怪的偵探

「今天大概又沒希望了。」一個頂著自然捲香菇頭、戴圓框眼鏡，看起來有點傻呼呼的女孩，神情落寞的站在一棟小屋前。

這是一棟被漆成白色的鐵皮屋，特意選的青蘋白在濃烈的樹蔭下顯得清透明亮，和樹上光澤碧綠的葉子相互掩映；小屋散發出的清新氣息，跟圓臉女孩此刻陰鬱的氣場，成了強烈對比。

「阿仙，要沉得住氣。」說話的是隨行的高䠷女孩，栗色長髮全往後攏，束成了一個高馬尾，露出光潔飽滿的額頭。

「可是，都已經過了兩個月了……。」阿仙像一朵過熟的香菇，軟塌無力。

「汪！」小狗叉燒看不下去了，出聲幫主人打氣。

「嗚……。」阿仙發出沮喪的哀鳴，一旁另一個蓄著俐落服貼短髮的女孩默默的把手搭在阿仙的肩膀上，表達安慰和支持。

小屋的門上，一張四開圖畫紙寫著「小白屋偵探社」。

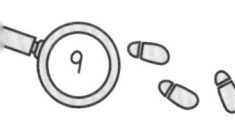

事實上，成立偵探團是阿仙擅自決定的。除了她以外，成員還包括了她的閨蜜1號——露露，以及閨蜜2號——小麥。偵探社的社長，也就是偵探團的團長，當然是阿仙。

露露和小麥純粹是出於友情贊助。一開始以為沉迷偵探小說和漫畫的阿仙只是一時興起鬧著玩，沒想到阿仙似乎是認真的，不僅自己做了看板，還每日眼巴巴等著客人上門。

「只要阿仙開心就好。」這是閨蜜之間不言而喻的默契。

說實話，阿仙毫無美術天分。

「招牌」上歪歪扭扭、胖胖圓圓的字體加上詭異的配色，看在兩個朋友眼裡，簡直古怪到了極點，恐怕讓路過的人，都以為是某個小朋友開的玩笑。

沒想到事情的發展就像連續劇一樣越來越誇張。

由於偵探社一直沒有人上門，海報上原本寫的：「委託費用只要一罐養樂多」，不知何時被改成了「只要委託案件，還送你一罐養樂多！」，三天前更加上「只要破案，再送你一罐養樂多。」

再這樣下去，最後可能會變成「只要委託案件，終生免費提供養樂多！」露露盯著看板輕輕搖頭，馬尾跟著不斷晃動：「阿仙啊，你就真的這麼想當偵探喔？今天是假期的最後一天，要不要出去晃晃啊？」

難得的期中考後第一個週末，最可以放鬆去玩的假日，阿仙只想待在小白屋，深怕錯過任何一個委託人。

「嗚……露露——」阿仙把頭埋進好友的肩頭，「可是，萬一在我們出門時剛好有委託人上門，那……。」

「唉呀，好啦，我知道了。進去吧！我們邊吃東西邊等委託人來。」

「喔！」聽到有吃的，阿仙立刻挺直身子，瞪大眼睛，精神抖擻的問：「是什麼？是什麼？」

「阿春肉圓和關東煮。」露露和小麥對於阿仙的「還魂」已經見怪不怪，邊說著邊逕自

走進鐵皮屋。

「耶！」

阿仙就像另一隻小狗一樣，和叉燒尾隨著香味，進了小白屋。

# 小白屋

打開門，只見光線從三面採光的窗戶投射進來，打亮象牙白的牆面，讓約莫六坪大的空間裡，呈現一種暖意。

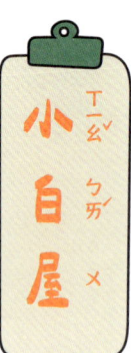

屋內的後半段，一張橘色單人老沙發及一張褐色三人老沙發靠著牆對望著，兩個老傢伙老得退成了一種溫和的顏色，老得沒壞，老得柔軟，老得剛剛好。她們三個可以用各種喜愛（而懶散）的姿勢在上面坐著、窩著、躺著、癱著，沒人會糾正。

溫暖的小白屋內，一定得配上一張好桌子。這張長方形的實木桌子，夠寬、夠大，同樣也年紀一把，恰恰可以包容一桌子美味的好料、書本、飲料，還有三個小吃貨舒舒服服擱在上面的六條胳膊。

鹿角蕨、鐵線蕨、兔腳蕨、波士頓腎蕨……各種綠意盎然的蕨類，看似隨意擺放，卻又恰到好處的出現在角落、牆上、窗邊……像是一群綠色小精靈，讓這座小白屋充滿愜意的生氣。

「快快快！冷了就不好吃了！」阿仙快步越過露露和小麥，走向一個曾祖母級的碗櫥（這的確是從阿仙鄉下的曾祖母那兒運來的，當之無愧），取出三副餐具。

小麥放下背包，拿起窗臺上的一支澆花壺，到水槽邊盛水，接著像問候一樣，輕輕為每一株植物澆水。「記得留下我的那一份。」小麥冷靜的語調裡，有不容忽視的威嚴。

露露接過餐具，快手快腳為大家裝盤，在阿仙虎視眈眈的注視下，她精準的分配分量，分毫不差的為肉圓澆上醬汁。

「開吃！」阿仙端起自己的那一份，坐到那張老單人沙發上，津津有味的吃了起來，嗯——炸過的皮酥香Q彈，混合著微辣甘甜的醬汁，越咀嚼越有滋味；飽滿的肉餡扎實鹹香，還不時能咬到脆口的筍子……，阿仙臉上幸福的光彩，彷彿先前的沮喪已不復存在。

「汪汪！」叉燒忍不住提醒主人，自己還在等呢！

「對嗯及，馬燒國尼（對不起，馬上給你）。」阿仙滿嘴的肉圓，鼓著腮幫子對叉燒說。不等阿仙站起身子，露露已經從關東煮中挑出一塊白蘿蔔放進叉燒的碗中。

澆完花的小麥盤著腿，坐在阿仙旁邊；此時小吃貨們都沉浸在美食的魔法中，這正是小白屋中經常可見的景象。

露露和小麥經常出現在小白屋偵探社裡（在小白屋成為偵探社之前就是如此），除了跟阿仙要好以外，另一個原因也在於這個「偵探社」總部，對她們來說實在太過舒適，用公主的房間來形容也不為過。

實際上，她們並不喜歡當公主，也不是公主。這裡，只是一間鐵皮屋。然而，這「只是一間鐵皮屋」，實際上卻不是一間「普通的鐵皮屋」。雖然是由鐵皮搭成，小白屋卻沒有鐵皮屋常有的問題——悶熱。最大的功臣就是小白屋側邊的老樟樹。

老樟樹早在小白屋建造很久很久以前就在了，甚至是這塊土地的「原住民」，在阿仙一家搬來這裡之前就長在這兒了。

老樟樹的枝葉，濃密得恰到好處，不僅巧妙遮蔽了炎夏直晒的日光，讓小白屋有了天然的空調，成了一處清涼的綠洲；同時貼心的留下些許隙縫，讓閃耀的陽光化成點點光源，為小白屋驅走陰暗。

老樹很老很老，老得彎了腰。小白屋也是有年紀的，它是阿仙酷愛蒐集舊物的爸爸，用蒐羅來的老物件搭建而成。小白屋配合著老樟樹傾斜的腰桿子泰然而立，乍看是小白屋倚靠著老樟樹，卻又像是老樹站不直的身子，依靠小白屋扶持。小白屋裡的一切，也正是如此。

這裡就是三個女孩最喜歡待的地方。

「阿仙，我們要不要打廣告？或者去發宣傳單？」露露等大家都完食了，才開口提議。

原本因美食而心滿意足的阿仙，身子馬上縮成了一朵爛香菇：「這樣會有用嗎？」雖然才吃完點心，聲音卻有氣無力，「嗚嗚……我可能永遠當不成偵探了……。」

「你真的那麼想當偵探，那就更應該積極一點啊！」露露說的話還帶著肉圓的香氣，小麥透過遮住眼睛的瀏海投射一個贊同的眼神。

「嗯啊！」

「遲早一定會有客戶上門的啦……只是喔……」露露走向小

冰箱，拉開冰箱門，陷入短暫的沉默。

「你不要一次買那麼多養樂多啦！把零用錢都花光了，而且不會每天都來十二個客人吧！」露露遞給小麥一罐養樂多，自己也打開一罐，咕嚕咕嚕喝下肚。

「雖然我們都愛養樂多，但要是再這樣一直喝快過期的養樂多，我們會喝膩，變成窮光蛋，然後體脂肪高到破表，尿尿都會生螞蟻耶。」

露露的話像一把鹽，讓阿仙像蛞蝓瞬間脫水，萎縮在沙發上；小麥站起身，拉了老吊扇的開關，順道拍了拍阿仙的肩膀。

老吊扇雖老，卻出奇的安靜。它用自己的步調緩緩起步，悠悠喚醒空間裡涼爽的空氣。片刻間，小吃貨們全陷入清靜悠緩的

氛圍裡。

「啪擦！」屋頂突然傳來一陣聲響，打破了靜默，把打盹的叉燒嚇得跳起來。

「是恰吉和阿旺。（住在附近的流浪貓）」三人異口同聲的說完，相視大笑。

若真要讓阿仙說，她特別喜歡鐵皮屋的屋頂。

由於是鐵皮屋，屋子本身就像一個極端敏感的打擊樂器，不時發出各種引人遐思的奇妙聲響。

有時候是輕巧的答答答，有時候是急促的咚咚咚，有時候是厚實的啪答、啪答，有時候甚至是嘩啦啦的水流聲。

對別人來說這或許是鐵皮屋致命的缺點，但阿仙非常非常喜歡那些聲音。阿仙總是在心裡想像著，那是哪一隻野貓，或者是哪一種小鳥，甚至是松鼠，在漫步、跳躍、追逐、睡覺、打架；或是老樹又掉了葉子，也許是雨水滴落；有時候，可能……是某種根本無法想像的生物。

露露和小麥來到小白屋一陣子之後，猜測鐵皮屋頂的聲響成了她們共同的遊戲。

一開始大家的答案經常南轅北轍（通常都是阿仙猜對），到了後來，三個人幾乎會在同一時間說出一致的答案。

可不是嗎？這就是偵探有趣的地方，接近事實之前，有無限的可能和想像空間。阿仙一躍而起，「好！我們來寫宣傳單吧！」她實在無法放棄偵探團，和自己的偵探夢想。

「叮咚！」

門鈴驟響，門內的小吃貨們正聚精會神伏在桌上寫宣傳單，彷彿三個偉大的藝術家。

「誰呀？」阿仙頭也不抬，隨口應了一聲，只差沒叫叉燒去開門。

「叮咚！」

門鈴又響了一次。

「齁！老爸，你不要鬧了，自己開門進來啦！」阿仙吼道。

她一心一意想寫完宣傳單，趕著等一下去發放，字體越是古怪得厲害了。

「請問，這裡是小白屋偵探社嗎？」從門外傳來一個女孩的聲音。

「什麼？」阿仙腦袋當機。

「請問，這裡是小白屋偵探社嗎？」女孩又問了一次。

當阿仙還為老爸怎會發出女孩嗓音而疑惑時，露露早已迅速起身，走到門邊開了門。門外，的確站著一個女孩——很明顯不是阿仙老爸。

露露吃驚的表情只有出現零點零一秒，隨即換上一臉笑意：「是小白屋偵探社沒錯，請進！」

「汪！汪！汪！」

叉燒熱情的衝上前撲了過去，這隻米克斯小狗對吃的狂熱比起鐵皮屋裡的人類，有過之而無不及，憑著以往的經驗，牠以為又有食物上門了。

還好露露認識叉燒也不是一兩天了，早就預判了叉燒的行動，只是順手輕輕將進門的女孩一攬，就讓叉燒撲了個空。

「叉燒！」腦筋終於轉過來的阿仙覺得丟臉又氣惱，一邊和小麥站起身來迎接客人。

女孩看起來就是個氣質很好的好學生，卻一臉愁苦。

「我……這裡沒有大人？」女孩左右張望。「這裡有偵探嗎？我在網路上查到的。」

「網路？」阿仙二度當機。「我沒有……。」

「咳咳！」小麥用手肘輕輕頂了阿仙一下。

「是是是！這裡是偵探社沒錯！」女孩憂愁的面容，一副就是需要大偵探幫忙的模樣，讓阿仙興奮得要飛起來了，「請坐，您需要委託案件嗎？」她讓出自己的老單人沙發。「我、我、我就是偵探啦！」

「嗚喔！」阿仙想起什麼似的，收斂起剛才的興奮，接著站挺了身子，換成穩重緩慢的語氣說：「我就是偵探，我叫夏蔚仙，請問需要我解決什麼案件呢？是有東西被偷，還是需要尋人？」

阿仙的樣子看起來老氣橫秋，一旁的露露和小麥見了忍不住偷笑起來；女孩遲疑了一會兒，這才輕輕點點頭。

「我的狗，被壞人給……。」

「什麼，狗狗被壞人害死了?!」沒等女孩說完，阿仙便放棄堅持不到一分鐘的沉穩老練插話，她完全沒想到是——命案！

「哈吉沒死！」女孩又急又氣，眼睛噙著淚水。似乎意識到自己的情緒太激烈，下一刻女孩的語氣突然變得微弱：「你不要亂講……。」

「啊，對不起、對不起，」阿仙慌忙道歉，「我以為——」

她真想拔掉自己的舌頭。

「你的狗狗怎麼了呢？」露露插進兩人對話，「發生什麼事情了？」

「嗚……哈吉……哈吉……。」

「你慢慢說。」露露看了小麥一眼，小麥立刻意會過來，連忙倒了一杯水給女孩。

「我的哈吉……。」

女孩的名字叫琳恩，昨天，也就是星期六，當他們回到家後，發現愛犬痛苦的趴在地上，一旁還有一大灘嘔吐物。

送到醫院檢查後，醫生說是吃了太刺激的食物，狗狗才會生病的。為此，他們還被醫生訓斥了一頓，認為他們沒有善盡飼主的責任。

「太刺激的食物？」阿仙邊回

想平時叉燒都吃些什麼，邊冒冷汗，幸好一直都健健康康。「嗚——汪！汪！」叉燒一聽到食物二字，立刻躁動起來。

「哈吉在醫院又吐了，醫生發現嘔吐物裡，有大量不適合狗狗吃的東西……。」

「是、是什麼？」阿仙急著想要知道。

「是辣椒，而且辣度一定非常高，才讓哈吉得了急性胃腸炎。我本來想去報警，找出傷害哈吉的人！可是……」女孩的聲音一下子從激動轉成懊喪，「可是，我爸媽說不需要……。」

「但！我就是想要抓到這個壞蛋！」女孩眼眶又泛起淚來，「你們可以幫我嗎？」此時琳恩看起來可憐又無助，「我找不到其他人可以幫忙……。」

「好！小白屋偵探社接下這個案子了！」阿仙突然大聲應允，還從椅子上站了起來，把在場的人都嚇了一跳。

「你們有信心，可以幫我找到兇手嗎？」

「有！百分之百！」正處於完全燃燒狀態的阿仙，沒看到一旁的露露，不斷擠眉弄眼，偷偷搖手。

「就交給我們吧！」偉大的偵探夏蔚仙沉醉在自己的正義感和使命感中，對露露發送的訊息渾然不覺。

露露無聲的嘆了一口氣。

「為了進行調查，我有一些問題想要請問你，請你盡可能誠實、仔細的回答。」

「好的，為了哈吉……我一定會把知道的都告訴你。」

「喔喔……」阿仙這時又慌亂起來，因為，她根本還沒想好到底要問些什麼，「對不起，請、請再等我一下……。」

阿仙強裝冷靜走向一旁的老木櫃，抽出一本全新活頁筆記本（這是她特意為了辦案準備的）、一枝鉛筆，再度坐回沙發上。

幸好琳恩非常善體人意，對著阿仙努力的擠出一個溫柔的笑容。

雖然已經在書中和腦海中複習過N次偵查的歷程，第一次要真正進行「調查問話」，阿仙比自己預期的更緊張、更激動。

「好的，有什麼問題，請你問吧！」琳恩挪動了一下身子，坐得端端正正，神情認真的看著阿仙。一股正式調查的氣氛，瀰漫在小白屋內。

## 客戶的證詞

阿仙在筆記的第一頁標上了日期——案發時間11/18（星期六），問話時間11/19（星期日）——手抖呀抖的，把數字寫得歪歪扭扭的。做為一個偵探，現在該問些什麼問題呢？夏蔚仙，趕快動動你的腦袋啊！

「咳……嗯……我想請問你的家裡有哪些人？平時都是誰在照顧哈吉？」阿仙終於說出了作為偵探的第一個問題，腦袋中卡頓的齒輪一點一點慢慢轉動起來。

琳恩輕輕點了點頭，沒有難色，「我們家有四個人，爸爸、媽媽、哥哥和我，平時主要照顧哈吉的是哥哥。」

「哥哥？所以哈吉是哥哥的寵物？」

「不是，當初是我和哥哥一起想養狗的。」

「那其他人都不會幫忙嗎？」

「平時爸爸、媽媽都很忙，幾乎沒辦法照顧哈吉，爸爸偶爾會摸摸哈吉，喊喊牠的名字；媽媽有潔癖，本來不准我們養狗，是我和哥哥拚命拜託，加上爸爸保證幫忙，才勉為其難答應的；所以媽媽……。」說到這裡，琳恩苦笑聳了聳肩。

「了解……。」阿仙點點頭，「那你呢？」

琳恩謹慎的想了一會兒，才緩緩開口：「哈吉剛到我們家的時候我還小，而且我很怕狗狗的大便，因為哥哥年紀比我大，所以爸爸訓練哥哥照顧哈吉，後來就變成哥哥負責了。我……會陪哈吉聊天、摸摸牠。」

「所以，狗狗吃飯、洗澡、散步都是哥哥一個人負責嗎？」

「洗澡會有專門店的人來接牠，吃飯、散步基本上都是哥哥負責。」琳恩說，「我哥哥很會照顧狗狗，我有時候變得好像幫不上忙，哈哈。」

「呃……我想請問一下，哈……哈……。」

「哈吉。」阿仙右側的小麥悄聲提醒阿仙。

「對！哈吉！哈吉會不會只是碰、碰巧生病而已？」阿仙第一次面對「客戶」，聲音顫巍巍的。「還有……確定不是你們家人給的食物嗎？」

「不可能。」琳恩第一時間就否決了這個可能，「我們非常注重飲食健康，絕不會給狗狗吃不健康的食物，只給狗狗吃最好的乾狗糧。在這之前哈吉都很好。」

「你記得是哪個牌子的狗糧嗎？」

「應該是『凱瑟琳公主』，上面有個皇冠的標誌。哥哥每天固定餵哈吉吃乾狗糧，沒有別的。」琳恩語氣篤定。

**「陌生的食物（辣椒）來源？誰餵的？」**阿仙在筆記上快速寫下這行字。

「汪汪汪！」聽到食物，叉燒口水都要滴下來了。

「叉燒！不可以插嘴喔！」露露拍拍叉燒的頭。「嗚——」

叉燒掃興的趴在地上

「確定沒有家人以外的人餵哈氣吃東西嗎？」阿仙又問。

「是哈吉，不是哈氣。」琳恩糾正阿仙，「哈吉只吃我們餵的東西。小時候我們特別訓練過哈吉。」

「對不起——」阿仙覺得自己一直出糗，一邊點頭道歉，一邊在心裡推敲：那不就是說，辣椒是家人餵的？只吃固定乾狗糧、自家人餵食，那就是不小心放了這個食物讓哈吉吃到？

「你們家人喜歡吃辣嗎？」

「爸媽喜歡，我和哥哥只能接受一點點辣，不過家裡不開伙，所以都是去外面才會吃到。」

照這麼說，阿仙暗忖，唯一可能餵食哈吉的哥哥，手邊也沒有含有辣椒的食物可餵。去買？偷吃？哈吉生病了，對哥哥有什麼好處？哥哥會故意害哈吉生病嗎？這合理嗎？但是，絕不能排除任何可能性。

阿仙在筆記中慎重寫下：「哥哥？家人之外的餵食者？」後，陷入沉思。

這時，露露用拖盤端來四杯飲料，遞了其中一杯到琳恩面前，說：「喝點飲料吧！」

- 日期 11／18
- 哥哥、爸爸、媽媽和琳恩
- 陌生的食物（辣椒）來源？
- 誰餵的？哥哥？
- 家人之外的餵食者？

就在阿仙兀自發楞的時候，露露不知何時已到廚房調好了招待客人的飲料。

剔透的玻璃杯裡，夢幻的粉紅液體，冒著清涼的氣泡，看起來好療癒。

「謝謝。」琳恩驚喜的睜大眼睛，接過杯子。

「小白屋季節特調，草莓氣泡飲。」露露說，「小麥的獨家配方。」

琳恩喝了一口，總算露出了一點點微笑。

「我、我也要！」阿仙急急忙忙的也給自己拿了一杯。

吼，這個阿仙喔！真是沒半點偵探的架式！露露和小麥相視而笑。

琳恩的情緒和緩一些後，阿仙再度開始問話。

「琳恩家的人有沒有可能和別人結怨呢？學校、公司都可以想想，或者和鄰居有什麼不愉快……」阿仙小心翼翼的說著，怕引發對方的不快。「有沒有可能是別人為了報復才傷害狗狗？」

「應該不太可能耶！」琳恩歪著頭想了一想，「我爸媽平常對人很客氣，這陣子也沒聽說公司有什麼煩心事，和鄰居基本上沒有什麼互動，但也從來沒有過發生什麼爭執，因為很少有機會碰到面。」

「好，我知道了。」阿仙點點頭。琳恩長得可愛，氣質也很溫柔，說話好聽又有禮貌，的確很難想像她有仇人。但是，如果是有人嫉妒她，故意找她麻煩，這也不是沒有可能。

「嫉妒琳恩的人？」阿仙寫下這個疑點。

這樣想來要調查的人不少。誇下海口一定抓出犯人的阿仙吞了吞口水，開始有些緊張。不管怎麼樣，就是要在能夠調查的範圍中拚命努力！阿仙目光炯炯。

「哇！」趁著空檔喝完氣泡水的琳恩，猛的像觸電一樣彈了起來。

原來是叉燒像忍者一樣無聲無息的靠近，嗅了一下琳恩的腳。

「叉燒！不可以喔！」阿仙為叉燒的沒禮貌臉紅，「不好意思，牠不會咬人的。」

「……好……」雖然說好，琳恩卻還是縮起身體，想離叉燒遠一點。「可以，請牠……」露露馬上意會過來。「叉燒，來這邊，給你好吃的喔！」

聽到有好吃的，叉燒這才乖乖離開。

「呼！」琳恩像是危機解除一樣的舒了一口氣，又發現自己好像失態了，窘迫的撫平裙子後，不著痕跡的恢復淑女坐姿。

「請問……」叉燒的舉動觸動阿仙的思緒，「狗狗平常都作些什麼活動呢？會不會在什麼情況下嚇到別人，或者造成別人的困擾呢？」阿仙試著用想像中的偵探口吻，小心翼翼的發問。聽到這個問題，琳恩用一種不敢置信的眼神盯著阿仙，讓她以為自己說錯什麼話，趕緊低下頭假裝作筆記。

「哈吉是一隻很乖的狗，從來不對別人吠，大家都喜歡牠。」琳恩的語氣像是為這段話標示螢光記號，大眼睛閃爍篤定的光芒，「我們家哈吉真的很乖，很溫和，又聰明。」琳恩談到自己家的狗狗，像是在談一位寶貝資優生兒子一樣，臉上綻放著藏不住的驕傲。

「加害動機？有可能是意外？」阿仙在筆記上這樣註記。

「嗶嗶嗶嗶！」

「啊！糟糕，時間到了！」琳恩手上的智慧型手錶發出聲響，「我是利用兩個補習的空檔過來的，下一個補習的時間到了，我得趕快過去，以免被發現。」琳恩慌忙起身，阿仙這才注意到她提了一個大大的托特包，裡面裝了滿滿的書本。

「可是我還有很多問題想問你耶！怎麼辦？噢！」阿仙急得跟著站起來，膝蓋狠狠磕了實木桌子一下，疼得齜牙咧嘴。

琳恩微微擰著眉頭，抿著嘴思考了半晌，「明天我從放學之後就要補習，直到九點才回家……後天，星期三下午三點過後可以嗎？我有大約一個小時的空檔。」

「沒問題，我們三個都可以。」露露馬上答應，不知為何，阿仙覺得她面露喜色。

「太好了！」琳恩迅速從包包裡拿出一本鵝黃色的小筆記本，匆匆在上面寫下兩行字，小心翼翼的撕下一頁，又折得整整齊齊的，遞給阿仙，「這是我家的住址，我一定會在家等你們，不好意思，我先走了！謝謝你們！星期三見嘍！」

「掰掰！」「再、再見！」

琳恩一離開視線，阿仙立刻拉住露露和小麥的手，一邊瘋狂蹦跳，一邊大喊：「我有客戶了！耶——耶——耶——」

露露和小麥的手被阿仙扯得上下亂晃，看著阿仙狂喜的傻樣子，兩個人都忍不住笑了。

小白屋偵探社，真真實實的有了第一位委託人。

## 犯案動機

琳恩離開小白屋後，她身上淡淡的花香味，在小白屋裡久久不散。

「哇！她真的好有氣質喔！」好不容易稍稍恢復冷靜的阿仙，打開手上完美重合的紙片，「你們看！字也寫得好漂亮。」三人的頭湊在一起邊看邊讚嘆。

「阿仙，你肯定不知道，你的第一個委託人就是我們學校的名人耶！」露露語氣中帶著興奮。阿仙和露露雖然住得近，但恰巧分屬不同的學區，就讀不同的學校。

「咦？名人，你認識她嗎？」

「……不算認識，」露露的語氣中有逐漸升高的興奮，「但……她是我們學校的明星許琳恩喔！功課好，人漂亮，有禮貌，每個人都喜歡她。」

「哇！真假？每個人！」阿仙不敢置信，即使是像她這麼沒人氣，不對，應該說是毫無人氣，也很難想像有「每個人都喜歡，沒有人討厭的人」。

「嗯，不誇張。大家都叫她完美偶像。」露露說。「不只是琳恩，她哥哥許達洋以前也是學校的風雲人物，甚至比琳恩更受歡迎，在國小的時候，還被稱作完美小天王。我想，不太可能有人想傷害她或者她家的狗狗。」

「嗯……是這樣嗎？……」阿仙神色變得謹慎，「可是，也不能因此排除有人嫉妒他們，或者他們在無意中得罪同學。」

「你好謹慎喔……」阿仙有別於平時迷糊又粗線條的反應，讓露露有點吃驚，「不過你說得有道理……要我去學校幫忙調查一下嗎？」

「可、可以嗎？可以不著痕跡的幫我確認一下同學之間有誰知道琳恩家養狗，而且對琳恩有意見？」阿仙一口氣列出一堆問題，有點難為情。

「當然沒問題啊！包在我身上！」露露用手肘輕輕頂了一下阿仙，「拜託，你也知道我的實力……。」

「喔！露露！」阿仙感動的抱住露露。露露從小就跟著媽媽做生意，非常擅於和人溝通交流。貼心，嘴巴甜，又俐落，號稱服飾店的微笑小殺手；婆婆媽媽們遇到露露，口袋裡的「摳摳」就會在聊天之際不知不覺中轉換成露露家的服飾。阿仙不擅長和人互動，在她心目中，露露會是出色的調查員！

「就我所知，沒有任何人去過他們家，我們……可能是第一個喔！」

「露露，你是不是太興奮了。」阿仙突然理解方才露露為何面露喜色。

「當然啊！」露露一副理所當然的表情，「他們像明星一樣有點神祕啊！」

「原來如此。」阿仙詫異的是，除了喜歡的偶像歌手，學校裡竟也會有讓露露崇拜的對象。

「我也去……」一直沒說話的小麥，突然發出聲音，「幫忙。」

「喔！太棒了！小麥去的話，一定會對案情很有幫助。謝謝小麥！」

小麥露出靦腆的微笑，一邊嚼著薄荷口香糖，一邊小小的比出她的大拇指。

「對了，」阿仙突然想起一件事，「琳恩說她是在網路上知道我們偵探社的，怎麼回事……難道……？」

阿仙看見露露臉上露出了神祕的微笑。

「啊！是你幫我在網路打廣告嗎？」阿仙恍然大悟。

「不只有我，主要還是小麥幫忙弄的。」露露走到電腦前，啪答啪答打起一串字。「將將！」

只見電腦螢幕上跳出一個頁面。

「小——白——屋——偵——探——社——專——頁！」

「嗚嗚嗚，謝謝你們！」阿仙盯著螢幕，眼睛盈滿淚水，高興得嗚咽，「我怎麼那麼笨，沒想到用網路宣傳？」

「唉呀，你平常不太上網嘛！我們三個聚在一起，也幾乎不用電腦啊！」

的確，除了查詢想知道的資訊，阿仙平常不太使用社群媒體，她只會用「二指神功」打字，電腦的其他功能，一直沒有太大興趣；而且，只要盯著螢幕超過二十分鐘，就會開始頭昏眼花。

「其實，我也沒想到真的會有人看到，而且還是我們學校的明星——琳恩，所以剛剛還是覺得需要直接去發宣傳單。」露露老實的說。

「不管怎麼樣，這真的為偵探社帶來客人了，謝謝你們！我好感動喔！」

「嘻嘻，我們就是你的搭檔啊。」

「你們超棒的！」阿仙摟著兩個好朋友又蹦又跳。

「好啦，適度肉麻有益友情，但不宜過量，以免噁心。開始工作吧！」

「哈哈！好哟。」

距離吃晚餐還有一點時間，正好讓阿仙用來整理思緒和線索。阿仙拿起筆記本，從頭翻閱方才記錄的訪談內容；就在阿仙彙整資料時，露露和小麥輕手輕腳的將一面黑板推過來。

黑板是阿仙的爸爸在偵探社成立時送的禮物（當然也是爸爸費心尋來的二手老物），是阿仙進行推理的遊樂園。還沒客人上門時，阿仙常假裝有案子發生，在上面寫滿了各種線索，她深信這樣做對自己的推理有幫助。

從筆記中整理好思緒，阿仙自然而然的走到黑板前寫下目前的線索。

「為何哥哥是頭號嫌疑犯啊？」露露一看見阿仙寫下的線索，立刻大聲質疑：「許達洋根本不可能做這種事吧！他可是完美小天王耶！」

阿仙用食指在露露面前促狹的點了點：「喂！熟人犯案沒聽過嗎？而且，剛剛琳恩不是說了嗎，**哈啾**……！」

「**哈吉**。」小麥迅速打斷阿仙。

「啥？……喔！哈哈，抱歉，是**哈吉**、是**哈吉**。哈吉只吃家人餵的東西，那照這個邏輯，主要餵食者——哥哥，

嫌犯 1　可能是哥哥，外帶含辣椒的食物，餵給哈吉，動機？

嫌犯 2　一個動機不明的外人，仇恨／嫉妒／意外，餵哈吉吃了含辣椒的食物？（為何受過訓練的哈吉會吃？若是不熟，是否有人聽到狗吠？）

不就最有嫌疑嗎？」阿仙說完，還故意對露露俏皮的眨眨眼睛。

「呃，好吧，算你說得有道理。」露露不得不承認有這個可能性。

「可是，達洋為什麼要害自己家的狗啊？」小麥問。

「對呀，阿仙，為什麼？」露露也問。

「呃……這個……」阿仙說，「這就是需要調查的部分呀，也就是所謂的犯罪動機。或許……可能……隱藏了什麼不可告人的內情。」她支支吾吾的，一時也說不出個所以然來。

「阿仙好像把許達洋說成一個心理不太正常的變態……。」露露嘟起嘴巴。

「我、我可沒說他變態，露露別亂詮釋啦！」阿仙有些慌亂，

「是說露露你的反應也太大了吧！」

「我、我哪有。」露露撇過頭去。

「假設真的是達洋，」小麥瞥了一下露露，露露果然也正瞪大眼睛盯著小麥，「我說假設，是什麼時候下手呢？什麼食物超辣而狗狗還願意吃？」

「噢，老天。」露露拍了自己的額頭，簡直要崩潰了。

「問得好！」阿仙說，「這也是需要調查的事情。只是我們今天都還沒問到案發當天的所有狀況呢！所以有很多疑點都還無法確認。」

阿仙的語氣滿是遺憾。

小麥點頭表示贊同，還朝阿仙比了一個OK的手勢。

正當阿仙還想繼續說下去時，一陣敲門聲響起，三人不約而同互看了一眼，不會吧！難道是第二個客人？

叩叩叩！敲門聲再度響起，「趕快開門喔！我是爸爸，你看，我的手是白的！」說話的聲音剛落下，一旁的窗戶馬上伸出一隻手不斷揮舞著。

「吼！老爸！你到底在幹麼啦！這是什麼幼稚的梗啊？」阿仙覺得很丟臉。

「七隻小山羊和大野狼。」小麥淡定的回答，似乎已經習以為常；露露忍不住「噗」得笑了出來。

門開了，阿仙的爸爸走了進來，他有一張和阿仙很像的臉，不對，應該說，阿仙跟爸爸長得很像，溫和的個性也如出一轍。

「夏叔叔好！」露露和小麥一起熱情打了招呼，他們早就很熟稔了。

「嘿！露露、小麥你們也在，真是太好了！阿仙的媽媽煮了一大鍋麻油雞肉米糕，晚餐一起到我們家吃吧！」

「汪汪汪！」又燒熱情的繞著爸爸的腳邊跑，為米糕瘋狂。

原本要對爸爸發飆的阿仙一聽，登時忘了剛才的不悅，「麻油雞肉米糕！我前兩天才正想吃耶！」說話的聲音裡饞味十足。

「走，小麥、露露，我們趕快去吃米糕，趁熱吃才好吃！」

「喂，那爸爸呢？」阿仙的爸爸露出一副可憐相。

「你不是大野狼嗎？那去吃小山羊好了。」阿仙說完，一左一右拉著兩個閨蜜急急忙忙走出小白屋吃米糕去了。

開心。

「這傢伙！」阿仙的爸爸看著三人一狗離去的背影，笑得好

「唔……開張了耶！」他轉頭看見黑板上那些洋洋灑灑的字，

笑得更開心了。

「好！吃飯。」他關上小白屋的門，讓偵探社的第一天溫暖

飽足的落幕。

# 第一個證人

隔天，三個小吃貨約好放學後到小白屋集合，為後天的現場查訪做準備。

小麥申請在家自學，不用到學校去，所以老早就在小白屋裡待著了；阿仙和露露在門口相遇，一開門就看見小麥窩在老位子上看書，而且實木桌上已經擺好了點心。

「哇！是蚵仔麵線耶！有幫我加大腸吧？」阿仙一個箭步衝到桌前，馬上打開蓋子，「小麥最好了！」

小麥放下書，朝兩人笑了笑，露露拿好餐具分別遞給大家。

「吃吧、吃吧！吃飽才有力氣調查。」阿仙接過餐具，迅速將麵線攪拌了幾下，頓時蒜頭、烏醋和麵線的香氣交纏，撲鼻而來，阿仙邊吹著熱騰騰的麵線，邊唏哩呼嚕的吃著，「超好吃的！這天氣吃麵線最棒了！」

認認真真吃完麵線，阿仙這才發現黑板上貼了一張地圖。

「咦，這是什麼？」阿仙走到黑板前研究。

「琳恩家一帶的地圖。」小麥回答，「從網路上下載整理出來的。」

「真假?!」這下連露露都湊到黑板前來看了，「許琳恩家在哪裡？」小麥靠過來，指了地圖上一個點，上面早已有小麥用螢光筆做的標記了。

「小麥真是太強了！我原本想手繪地圖耶！」阿仙邊興味盎

然的看著地圖邊說。

露露和小麥一聽到「手繪」馬上望向彼此，臉上的表情不言而喻，當然，阿仙沒看到。

「好！我們趕快開始吧！」阿仙拿出辦案筆記本，昨天晚上她幾乎失眠，腦袋無法關機，「我想了一些明天要查訪的問題和方向，我們一起來討論一下。」

三人回到沙發坐下後，阿仙迫不及待說出自己的想法：「首先要確認案發當天琳恩一家人的活動時間，和哥哥那天的作息，找出他可能犯案的時間和方式……。」阿仙意識到露露的眼神，「我是說，假設哥哥是犯人的話。而且，」阿仙頓了頓，「如果不是哥哥的話，我們也可以從中找出不在場證明啊！」

「嗯嗯嗯。」露露點頭連連。

「如果哥哥不是犯人呢？」小麥問。

「那我們就要打探在那段時間內可能犯案的相關人士，鄰居、爸媽的同事、兩人的同學，甚至路人或者無意中被得罪的人，還要確認附近有沒有監視器。」

露露聽到監視器眼睛都亮了起來，開心的大叫：「也許剛好有拍到犯人作案的畫面喔！」

阿仙搖搖頭說：「我看機會渺茫，如果有監視器，那琳恩只要請家人去調閱畫面就好，何必來找我們呢？」

露露不由得瞪大眼睛，「媽呀！那調查起來工程浩大呀！」

「嗯，」阿仙也有點擔心，「如果是爸爸媽媽和人家結怨，恐怕以我們的能力也很難調查。」三人頓時陷入沉默。

「沒關係，反正就從我們可以著手的開始吧！比方說，先證明哥哥不是犯人。」露露試著給大家打氣，卻引來兩人意味深長的眼光。「喂！這也是一種可能呀！」

「沒錯、沒錯，排除哥哥犯案也很重要，否則太讓人傷心了。」小麥趕緊接話。

阿仙起身走到黑板前，看著昨天寫下的資料，加註接下來的偵查方向。

確認當天作息

嫌犯 1　可能是哥哥，外帶含辣椒的食物，餵給哈吉，動機？

嫌犯 2　一個動機不明的外人，仇恨 / 嫉妒 / 意外，餵哈吉吃了含辣椒的食物？（為何受過訓練的哈吉會吃？若是不熟，是否有人聽到狗吠？）

鄰居／同事／同學／可能接觸過的人

犯案時間：待確認

當日時間軸

犯案工具：含辣椒的食物，待確認

三人接著又針對案情的各種可能性討論了一番，一下子，天色就暗了。

「唉，得回家了，期中考考得不理想，我媽說如果期末考再沒考好，就不能來小白屋。」露露唉聲嘆氣。

「我媽還揚言說下次我如果又考得太離譜，就要把小白屋上鎖⋯⋯。」阿仙也有氣無力。

談到考試，方才的幹勁都沒了，兩人滿臉愁容，唯有小麥老神在在。

她們決議今晚回家為課業下一點工夫，後天星期三只上半天課，中午一起吃午餐，然後可以先在琳恩家附近走走，暗中查訪一下。

星期三中午一放學，阿仙第一個衝出教室，先回家一趟放下書包，換了一個輕便的側背包，裝進筆記本，接著直奔約好的地點。

「汪汪汪！」叉燒發現了阿仙，跟著她一路跑。

「叉燒回家！」阿仙停下來命令叉燒。「嗚。」叉燒趴在地上，耷拉著臉用一種委屈兮兮的表情看著阿仙。

「唉呦，幹麼裝可憐！好啦好啦！一起去吧！先說了喔，我們是去辦案的，你可別搗蛋。」

詭計得逞的叉燒立刻精神抖擻，搖著尾巴站起來，跟著主人辦案去了。

那是一家位在小巷子內沒有招牌的小店，只賣鍋燒意麵和自己煮的紅茶，是三人口袋名單的前幾名。

「阿仙來了喔！還有叉燒。今天怎麼只有你一個？」老闆娘一見到阿仙就開朗的打招呼。

「露露和小麥等一下就來。阿姨，一樣三碗麵。叉燒，你留在外面。」阿仙說完逕自走進店裡找位子坐下，裡面只有四張桌子，其中兩張已經坐了幾個熟客。

放好了包包，阿仙走到冰箱前，取了三杯紅茶，才剛要喝，小麥就來了，阿仙趕緊朝小麥揮揮手。她們閒聊了一會兒，老闆娘端上三碗熱呼呼的鍋燒意麵，露露正好趕上了。

「算得剛剛好耶！」老闆娘擺好麵，慈祥的看著三人，「今天要一起複習功課對吧！」

三人面面相覷，不知該如何解釋，「嗯，我們有複習功課。」露露技巧性的閃過阿姨的問題，同時也讓阿姨滿意的點頭離開。

「呼！怎麼我們好像在做壞事啊！」阿仙苦笑。

小麥聳聳肩，低頭吃起麵來。

清爽鮮甜的湯頭是老闆娘每天新鮮熬製的，麵的軟硬度適中，就算吃到最後一口都不會糊爛，分量充足的蔬菜視季節更換，不放廉價的加工火鍋餃，而是阿姨從市場買的新鮮肉片和現做魚丸。

三個人吃著麵，不時喝一口香甜的紅茶，考試的壓力也就拋得遠遠的。

「啊——太滿足了！」阿仙覺得能量充飽，「還有時間，我們先在琳恩家附近繞一繞。」她們前天看著小麥印製的地圖研究了一下路線，過了幾個街區，就來到琳恩家。

琳恩家位於市郊一個安靜的開放住宅社區。由於是比較晚近才規畫建構的，社區只有幾戶人家，但道路像棋盤般整齊。社區十分清幽，少有車輛出現，甚至連行人也很少見。地面鋪了小紅磚，看起來美觀，走在上面也頗有情調。每家每戶對阿仙來說，都像是高級別墅，全都擁有自己的小庭院。這裡每一戶都有圍牆，而琳恩家則以簡約的黑色欄杆作為圍牆，種植了矮灌木，適度維護了隱私，也保持了視線的開闊。

深秋的空氣微涼，逆著燦亮卻不刺眼的陽光，第一次接到委託的大偵探阿仙，全身每個細胞都無法自制的興奮騷動著。這是偵探團第一次出任務呀！像是正義英雄一樣。

「我們現在要怎麼做？」露露邊問，邊踮起腳尖，伸長脖子往琳恩家瞧。

「找鄰居確認證詞。」

「什麼證詞？」

「琳恩說她家的狗很乖，我想聽聽鄰居的說法。」

「為什麼？她家的狗她最了解啊！」

「那我跟你說叉燒很乖，你覺得呢？」

「汪汪！啊嗚！」叉燒為自己發聲，露露頓時無言以對。

「大部分的人都對自己身邊的人事物有盲點，不夠客觀，所以我想聽聽別人的意見。」

小麥點頭表示贊同。

琳恩家的對面有一戶人家，因為每戶人家的院子都很大，獨門獨戶，所以隔了一段距離，才又有另一戶，算一算，和琳恩家較近的，應該就只有三戶吧。三人於是決定從隔壁右手邊的人家開始問起。

阿仙舉起手，想按門鈴，但又沒有勇氣。

「叮咚！」身旁一隻手迅如閃電，按下了門鈴，正是露露。

「哇！」阿仙吃驚得看了露露一眼。

「別怕，就只是問個事情，不用擔心啦！有我在。」露露老神在在的說。

只是等了半天，卻沒有人來應門。

露露又按了一次。

門鈴沒壞，從門外就可以清楚聽見叮咚聲。嘗試了幾次之後，仍舊沒有人來應門。

阿仙伸長了脖子，跳呀跳的想看清裡面的情況，小麥指著大門旁的信箱，信箱裡的郵件都滿溢出來了，圍牆內外也有不少落葉，看來是沒人住呢！

「或許是剛好不在吧？」露露說。

她們又走到了下一家，一樣沒人應門。第三家，也就是琳恩家對面的住戶，沒有門鈴，三人只好扯開喉嚨大喊：「請問有人在家嗎？」直到把剛才紅茶的能量都用光了，還是不見人影。

正當三人沮喪的打算去別處晃晃時，紅磚道上迎面走來一位阿嬤，手上提了一袋東西，直直往這棟房子走來，停在大門口，拿出鑰匙準備開門。

三人愣了一下，連忙上前。

「阿嬤好！請問您住在這裡嗎？」露露笑容討喜的問候。

阿嬤愣了一下，停下手上的動作，打量了她們一會兒，這才點點頭，「有什麼事嗎？」

「我們是許琳恩的朋友，想來找她玩，但是第一次來她家，不知道是哪一間。」
「這樣喔，許琳恩……姓許喔……」阿嬤想了一下，「應該是那一戶啦！」指向琳恩家的房子。「我有聽過她的哥哥叫她，

是這個名字沒錯。」

「謝謝阿嬤！」露露趕緊拉著傻在一旁的兩人向阿嬤道謝，

「阿嬤，我聽許琳恩說她家有養狗，不知道兇不兇，我有點怕被狗咬。」

「對啦！她們有養一隻狗，蠻大隻，比你們這隻大很多，可是很乖啦！沒怎麼聽牠叫；我遇過幾次，很親人，一直搖尾巴，真古錐啦！不用怕。」阿嬤聊開了，一股腦兒把自己的經驗跟她們分享。

「汪！」叉燒以為是在誇自己呢！

「他們家哥哥也很乖，看到人都會打招呼，都是他帶狗出來。現在有禮貌的孩子不多了啦！」

「太好了！謝謝阿嬤！阿嬤您人真好，心腸像菩薩。」露露像背台詞一樣流暢又自然的說出這些話，惹得阿嬤笑呵呵。「阿嬤，那我們去找許琳恩了，您也進去休息吧！」

「好、好，再見！」

「阿嬤再見！」三人同時有禮貌的向阿嬤鞠躬，目送阿嬤走進屋。

「露露！你真的是太厲害了啊！真虧有你！」阿仙抱住露露，難掩激動。

「真的。」小麥也肯定的點點頭。

「現在證實琳恩的說法大致沒錯，哈吉是一隻很乖的狗。」

「而且聽起來，他們不太像是會跟鄰居交惡的人啊！」

「所以說，鄰居要害狗狗的可能性不高嘍！」

「太好了！那我們的嫌疑人可以少一點了。」

阿仙趕緊拿出筆記將剛剛得到的資料都記錄起來。

「而且阿仙，你聽到了嗎？許達洋真的人見人誇呢！」露露美滋滋的說，「是個超級好人呢！」

## 案發當天

下午三點，阿仙三人準時來到琳恩家門口，才按了第一下門鈴，大門就打開了。

「嗨！你們來了，好準時喔！」琳恩快步走出門，穿過庭院的小徑，為她們開門。

「哇！你們家好漂亮喔！」阿仙從進社區，就看得目不轉睛，一進到琳恩家大門，更是忍不住讚嘆。「院子也好美喔！」

小白屋外面也有院子，然而和琳恩家的院子比起來，簡直就像是蠻荒的亞馬遜雨林和凡爾賽花園那樣的差別。

露露和小麥聽了都快忍不住笑，阿仙現在不像個偵探，反倒像是第一次出門的觀光客。

「謝謝。」琳恩笑著回應。「真不好意思，還讓你們跑一趟。」

「不麻煩，我們剛好需要實地查訪採集證據。」對初次辦案的偵探來說，能夠到現場勘查，是多麼具有歷史意義的一刻。

露露一進門，就伸長脖子東張西望。

「達洋上國中，今天不在吧。」小麥淡淡的對露露說。

「我、我是在欣賞院子和房子……」露露連忙轉移話題，「你們一定花了很多工夫在整理庭院吧？」

「啊，我們有固定請園藝師來修整。」

「哇，園藝師耶，難怪。」阿仙頻頻點頭，四處張望。「超美的、超美的。狗狗住在院子嗎？」

「對，你怎麼知道？」琳恩驚訝的問。

「因為你上次說媽媽有潔癖，所以應該不可能讓小狗進屋吧！」阿仙理所當然的回答，讓在場的其他三人都對她投以佩服的眼光。

「要進去坐一下嗎？我爸媽都還在上班，只有我在家。」

「好……。」露露正想答應——

「不用，我們想要在外面確認一下環境和犯案的可能。」阿仙斷然否決，她的心思幾乎被案子給占據，剩下的一小部分則是擔心稍不留神，叉燒製造出災情。她全然沒注意露露哀怨的眼神。

「可以先請問你，出事那一天，你們一家人和哈吉的作息狀況嗎？」

琳恩收到問題，停頓了一下，似乎在回憶，「那天，是我和哥哥音樂發表會的日子，我們很早就出門排練了。」

「確定是11月18日嗎？是全家人一起嗎？幾點？」

「對，是那天沒錯，全家人8點出門，因為和老師約了時間，不能遲到。回到家的時候已經是下午4點了。」

「那當天你們怎麼安排**阿吉**？」

「**哈吉**。星期六哈吉應該要出門散步，但因為時間很趕，所以哥哥來不及帶牠出門，就沒出去了。而且我們不在家的時間比較久，所以出門前哥哥特別多放了狗糧給哈吉，還加滿了水。」

「你怎麼知道哥哥做了這些事？」

琳恩燦然一笑，「那天我怕哈吉餓著了，特意站在旁邊提醒哥哥。哥哥還問我，既然擔心，為什麼不幫忙放狗糧？我們還鬥了一下嘴。」

「那哈吉當時看起來如何？」

「很正常啊！就像平常一樣。」

「之前也都沒有異狀？」

「沒有。直到那天我們回家，哈吉才生病的，我很確定。」

「音樂表演的地點離你家很遠嗎？」阿仙追問。

「開車要接近一小時。」

「所以，應該是早上8點到下午4點之間吃到辣椒……這樣哥哥的嫌疑就微乎其微了。」阿仙將這個推測寫在筆記上。

「那，哈吉會有出門的時候嗎？」阿仙接著問，「除了你們家人之外，還有誰可以接觸到哈吉呢？」

琳恩搖搖頭。「哈吉大部分時間都在家裡，除了每個星期六哥哥會帶牠去公園運動，基本上不會去其他地方。」

「了解……公園……每個星期六哥哥帶去……。」阿仙好像想到了什麼——不知道公園裡有沒有人意識到哈吉這個星期六沒有去？

「哈吉還會自己出門去哪些地方呢？」阿仙以為每家的小狗都像叉燒一樣會自己趴趴走。

「不會，就是這兩個地方。我媽媽怕牠和外面的野貓、野狗接觸，會有跳蚤、細菌，所以不准牠自己出門。」

「……那，一個星期去公園幾天？」

「就只有星期六去，星期六早上大約8點到10點這段時間。」

三個偵探相互看了一眼。她們不約而同的想著：這隻狗狗真可憐，一個星期才出去一次！而且生活圈只有家裡和公園，簡直是隻「宅狗」，只是對方是委託人，也不好多說什麼。

「有沒有可能是在公園惹到什麼人呢？」阿仙繼續問。

「不可能，我哥哥都看著哈吉。而且哈吉非常溫和，從來沒有出現過想咬人的舉動，甚至連對人大聲吠叫都沒有過。如果給牠指令，牠就會乖乖待在原地不動，非常非常乖巧。」

「這麼乖的狗……跟叉燒差好多……。」這句話才脫口而出，阿仙立刻感覺到叉燒鬧起彆扭，拚命啃咬阿仙的鞋。

「好啦，叉燒，抱歉，不該拿別的狗狗跟你比較。」

可是叉燒完全不領情，還是咬著阿仙的鞋狂扭，阿仙自己知道理虧，只好由著牠鬧脾氣。

「所以狗狗在公園的狀況，只有哥哥知道嘍？」阿仙問。

「嗯，我哥哥一定把哈吉看得好好的。而且，哈吉還小的時候，我們就送牠去接受訓練，加上牠原本就很乖，所以完全不用擔心。」

「哥哥從來沒有提起過帶哈吉到公園去的事情嗎？比方說常會遇到誰、哈吉都在那裡做什麼，或者有遇過什麼麻煩？」

「嗯……沒印象哥哥有說過耶。」

「你們平常都不會聊狗狗的事嗎？」阿仙脫口而出。

琳恩挑高左邊眉毛，好像對這個問題感到疑惑，「會呀！可是去公園遛狗是哥哥的工作，只要他有做到就好了，不是嗎？」

聽完琳恩的回答，阿仙、露露和小麥三人，你看著我、我看著你，不知該如何回應琳恩。

## 案發現場

「請帶我們去看一下哈吉的窩好嗎？」阿仙提出這個請求，結束了四人之間的短暫沉默。

「好，跟我來。」

琳恩領著三人來到狗屋的位置，狗屋位在琳恩家屋子右側。

狗屋探出一顆小狗頭，卻是叉燒。

「喂！叉燒，你什麼時候跑來這裡？」阿仙趕緊跑上前去，希望叉燒沒做出傻事；可是，看見了狗屋，卻沒看見哈吉。

「哈吉不在嗎？」阿仙一問，琳恩神情低落的說：「為了謹慎，醫生建議我們把牠留在醫院多觀察幾天，等確認完全康復再

HACHI

回來。」

「哇……這麼嚴重。」阿仙想起叉燒一天到晚亂吃，竟然從來沒出過事，只能說是福大命大，不禁捏了一把冷汗。

仔細觀察狗屋的位置，離欄杆有些距離；欄杆外是一條寬度可以讓兩輛汽車並行的馬路。

「平常哈……哈吉都在這邊吃東西？」阿仙看見狗屋前一個托高的碗架，上面的碗裡還留有那天哈吉沒吃完的乾狗糧。

「嗯。」琳恩點點頭，「狗的乾糧就放在那邊。」

阿仙朝琳恩指的方向走過去，在一個木製白色櫃子中，放著凱瑟琳公主牌的狗糧，就是廣告上常常出現的頂級品牌。

她們一起仔細的探察了狗屋內外，卻沒有發現什麼可疑的東西。此時小麥默默從包包裡拿出手套、紙巾和密封袋，在眾人驚奇的眼光中，採集了哈吉吃剩的飼料放進密封袋裡；接著還跟琳恩借了狗狗的碗一併帶走。

沒想到小麥準備得這麼專業！一種「正式辦案」的熱血，頓時激勵了她們。阿仙覺得身體的鬥魂都燃燒起來。

「請、請問，哈吉平常在家都是鍊著嗎？」阿仙看見狗屋旁有一條繩子。

「平常我們都讓牠在院子裡自由走動，但不能進屋子裡。」

「所以那天你們出門，牠也是自由活動嗎？」

「不是，我們出門前，爸媽說一定要鍊著，比較安全。」

「嗯……。」阿仙在腦中不斷拼湊各種可能性。

如果不是乾狗糧或哥哥的問題，那應該就是外來的食物及外來的人。

可是，上了狗鍊，狗狗有沒有辦法靠近欄杆？……不過，要是有人丟東西進來，狗狗應該吃得到。阿仙拾起狗繩，來回在狗屋和欄杆之間走動，以丈量狗狗可能活動的距離，一邊筆記。

從進社區到現在，除了剛才的阿嬤，幾乎沒有看到居民走動，若真有人丟東西進來，恐怕也很難有目擊證人啊！阿仙在心裡大嘆氣。

阿仙決定和運氣賭一把，還是提出了問題：「請問這附近有監視器嗎？」

「有，但上個月壞了，爸爸一直忘了找人來維修，所以沒辦法提供那天的畫面。」琳恩愛莫能助的看著阿仙。

唉！果然沒那種好運氣！三個小偵探認命的接受這個事實。

啪沙啪沙……這時，阿仙意識到，叉燒好像在狗屋後的矮樹叢裡挖掘著什麼。

「叉燒！不可以，這裡是別人家！」阿仙大喊。「你到底在做什麼？」

會聽話就不是叉燒了，牠還是死命的又刨又挖。

阿仙不再出聲，反而不慌不忙慢慢靠近叉燒。若說叉燒是世界上最「滑溜」的狗，慢手慢腳的阿仙就是牠天生的剋星。

她深知叉燒著迷一件事情的時候，總會忽略掉左後方的動靜。阿仙用手一抄，一把抱起叉燒，有一樣東西就這麼從叉燒嘴裡掉到地上。

「那是什麼……？」

阿仙蹲下身去，眼前是一小塊深咖啡色的不規則物，約莫2公分厚，有點像是殘餘的絞肉肉餅或肉丸。

或許是因為最近天氣比較冷的緣故，還沒有腐敗，但已經可以聞到微微發餿的味道。

「那是什麼？」露露也好奇

的靠上前來，探看了一眼，立刻退了兩步。「好噁！不會是狗大便吧？」

「我們家狗狗不會亂大便的。」琳恩掩住口鼻，不敢再靠近。

「哈吉受過訓練，只會在固定的地方上廁所。」

「哇，好像貓咪，不像狗呢！」阿仙讚歎。阿仙對訓練有素的狗，完全沒概念。

「這應該是肉餅……還是肉排？」阿仙端詳許久，無法判定，「叉燒，你連這個也吃喔！你會落屎[註]啦！」

「肉餅、肉排？」琳恩不敢置信的瞪大眼睛，「怎麼會有這種東西？太奇怪了，我們家最近沒人吃過這樣的東西啊！」

趁著大家在說話，叉燒用力掙扎想趁機去咬肉排，又被阿仙料中，用力緊緊箍住，「啊嗚——」叉燒只能出聲以示抗議。

「是你們家給狗狗吃的罐頭肉嗎？」

「不是……」琳恩表情十分吃驚，「我說過我們家只給狗狗吃乾狗糧。」

「咦……那這會是誰帶來的？」露露捏著鼻子湊近。

「會不會是鄰居想餵哈吉？」小麥說，「或者只是路過的人隨手亂丟的？」

「都有可能……，而且，在沒有檢驗出成分之前，也不能說是犯案工具。」阿仙雖然超期待找到突破點，卻也不敢妄下定論。

「等我回去確認一下。」小麥閃現狂熱的眼神，敏捷的把那

註 拉肚子

個奇怪的東西裝進袋裡、封好，和剛剛蒐集的證物放在一起。

「啊嗚……」眼見肉肉被裝進袋子裡，又燒發出悲鳴。

「幸好最近天氣冷，食物的狀況還不算太糟。我去我姐那邊分析一下。」

小麥的姐姐在大學實驗室工作，聽說小麥常常跑去實驗室找姐姐。

「太感謝你了！小麥！」

小麥搖搖頭，表示「這沒什麼」，用手勢表示OK。

她們又謹慎的搜查了院子，可惜沒有別的發現。

「嗯……我想問問附近鄰居，有沒有看到可疑的人趁你們不在的時候靠近狗狗。」阿仙向四周看了看，「那邊那一戶，剛好就在我們發現碎肉的對面，說不定會有人看到。」

阿仙說的就是琳恩家右手邊的鄰居。

「可是……那一戶人家不住在這裡，」琳恩露出遺憾的表情，「我聽我爸媽說，他們只有在過年度假才會回來住。」

「這樣啊……。」果然如她們剛才的猜測一致。唉！事情果然沒有那麼簡單。

阿仙像是突然想到什麼似的，走到狗屋前，把狗繩拉了起來。

「阿仙，怎麼了？」露露問。

只見阿仙拉著狗繩，一直走到發現碎肉的地方。

「繩子的長度……可以拉到發現可疑碎肉的地方。」阿仙有一種接近賓果的感覺，好像有一點點希望喔！

「啊！我的補習時間快要到了，等一下我媽媽要送我出門……。」琳恩不免有些惋惜。

「沒關係！」露露馬上接腔，「我們也差不多了，對嗎？」

「差不多、差不多了。」阿仙點了點頭。「啊！對了！如果我們

還有什麼問題想問你，可以打電話，或者寫電子郵件給你嗎？」

「嗯……」琳恩想了想，「我平時在家使用網路和手機的時間有限，也不太方便在電話裡聊這些，所以……。」

「啊！沒問題啦，」露露說，「因為我們同一間學校嘛！有事情我下課去找你，可以嗎？」

「太好了，這樣當然沒問題！」琳恩點點頭。

「對了，請問你有哈吉最近的照片嗎？我想有照片，去找線索會比較容易。如果方便的話，有哥哥和哈吉的合照更好。」

「嗯……應該有……請等我一下。」

或許現在大多是用手機拍照，琳恩一時之間竟找不到，只好等明天上學時再交給露露了。

離開琳恩家後，三個人決定先回小白屋，釐清今天得到的訊息，再研擬接下來的偵查方針。

「沒想到只是走一走問個話，竟然挺累的耶。」露露忍不住說出自己的想法。

「嗯，真的不簡單。」小麥難得對事情感到困難。

阿仙沉默的走著，不斷思考在琳恩家撿到的食物殘骸……如果可以確定那是什麼食物，就可以試著在附近尋找可能的來源，再找出可能去買或吃的人……然後……哇！看來要做的調查還很多；而最重要的，必須先確定這是讓哈吉生病的東西。

可惜不能用嘴巴嘗一下……會辣嗎？……阿仙幾乎忍不住衝動，想嘗一下那塊碎肉了。

思及至此，阿仙突然很想吃點東西。經過這樣動腦又動腳，肚子都餓了。

「來吃點東西吧！」三人竟然異口同聲，說完一起發出爆笑，「哈哈哈哈！」

「我之前查地圖時看見附近有一家手工湯圓，挺不錯的。」小麥提議。

「好耶！來碗甜甜暖暖的湯圓，太療癒了！」阿仙和露露附議，叉燒也開心的汪汪叫。

當偵探真的好棒喔，還可以順便開拓美食的新版圖呢！

熱呼呼的湯圓，軟糯的口感，樸拙簡單的滋味，讓三個小吃貨每人連吃了兩碗，能量充沛的回到小白屋。

三人坐到各自的沙發上，全身放鬆的舒了口氣，頭舒舒服服靠在椅背上，沉澱今天得到的資料。

「若是琳恩的說法正確，哥哥應該不可能犯案，他有充分的不在場證明。」阿仙坐直身體，拿出筆記翻閱。

「我就覺得不可能是許達洋。我跟媽媽做生意那麼久，看人的眼光不會錯的。」露露整個人喜不自禁。

阿仙和小麥互瞄了一眼，忍不住噗的笑了出來。

「怎、怎樣啦！」露露紅著臉，「不然你們說說看有更合理的推論嗎？」

「咳……咳，那我們就要來思考其他可能犯案的人了。你們有什麼想法？」阿仙好不容易停住了笑，想聽聽其他人的看法和自己心裡想的一不一樣。

「我覺得他們住的那一帶，鄰居好像沒什麼來往，而且，聽那位阿嬤說的，他們得罪鄰居的可能性也不大。」露露說了心裡的想法。「至於爸媽的同事……大人因為工作上的關係大老遠來害一隻狗，也太瞎了吧！」

「嗯，我也有同感。」阿仙點頭，「綜合琳恩說的，可能和哈吉的生活有交集的，應該就是哥哥帶哈吉去公園時遇到的人了。或者，最壞的情況就是偶然路過的陌生人。」

「可惜，琳恩不知道有誰。」小麥說。

「這就是我們要繼續努力的地方了。如果可能，我想訪談一下許大洋。」阿仙說出她的計畫。

「是許達洋！抵達終點的達。」露露忍不住大聲糾正，「那我們什麼時候約他啊？」興奮之情溢於言表。

「露……能不能請你明天到學校跟琳恩轉達一下我們的需求，讓她跟哥哥商量一下。」

「沒問題，包在我身上。」露露欣然接下任務。

「還有，這幾天我還想抽空去琳恩家附近的公園查訪一下，看看有沒有辦法找到相關的人證，也可以跟許大——達洋的說詞比對一下。」阿仙接下來說的這段話引來其他兩人的狐疑目光。

「都要訪談她哥哥了，還要去嗎？」露露問。

「嗯……每個人說的證詞都還是要做一些保留啦！要確認再確認。」阿仙煞有介事的說。「而且有時候一些意想不到的蛛絲馬跡，會成為破案的關鍵。」

「好吧……既然你這麼說的話……」露露真心佩服阿仙的嚴謹，「不過，當偵探好像會變得很黑暗耶，一直在懷疑別人。」

「穿破黑暗，就會看到光明！」阿仙說，「多走一些路，案情的結果就不一樣。」

「你剛剛說的台詞很帥耶。」

「漫畫上面看到的啦。」阿仙露出尷尬的笑。

「哈哈哈，無所謂，還是很帥，我陪你去吧。」

「歐！露露最好了！」阿仙一把抱住露露，感動的說。

「啊，別這樣——好肉麻！」

「對齁！還有找到的肉沒討論！」聽到關鍵字「肉」，阿仙馬上放開露露，看向小麥。

「我等一下馬上去找姐姐。」小麥不等阿仙說，逕自回答了問題。

「哇！小麥真是我肚子裡的蛔蟲。」

「超噁，我才不要。」小麥沒好氣的拒絕。

「好啦！你最可愛了，我才是肥蟲。」阿仙的語氣說有多巴結就有多巴結，「如果能驗出裡面有辣椒成分，那我們就有物證了！而且也知道哈吉如何吃下辣椒。」

解散之前，阿仙把今天得到的訊息匯整到黑板上：

確認當天作息 → 參加音樂會

嫌犯 1 可能是哥哥，外帶含辣椒的食物，餵給哈吉，動機？

嫌犯 2 一個動機不明的外人，仇恨 / 嫉妒 / 意外，餵哈吉吃了含辣椒的食物？（為何受過訓練的哈吉會吃？若是不熟，是否有人聽到狗吠？）

鄰居／同事／同學／可能接觸過的人

→ 公園認識的人，每星期六早上 8:00 ～ 10:00

犯案時間：待確認

當日時間軸

↙ 11/18 星期六早上

音樂會 8:00 ～ 16:00

犯案工具：含辣椒的食物，待確認

肉丸／肉排？

「那我先走嘍！」小麥往嘴裡丟了兩顆超涼薄荷口香糖，揹起包包，戴上耳機，率性走向大門。

「喔……好！就麻煩你了！小麥！」阿仙的聲音充滿期待。

小麥點點頭，又比了個讚，騎上腳踏車先回去了，那溫和又穩重的背影，看起來真可靠。

當天晚上9點，阿仙家傳來慘烈的哀號：「慘了啦！我的作業忘了寫，而且明天的數學小考也沒有複習，完蛋了啦！」

## 許達洋

儘管離開琳恩家隔天，露露就拿到哈吉的照片，卻因為連著兩天，阿仙都忙著補作業、訂正考得一蹋糊塗的考卷，同時還得抵禦媽媽勘比饒舌天后的即興嘮叨，讓瘋狂想要辦案的阿仙簡直要抓狂。

看來，原定放學後要去公園探查的計畫只得往後延了。阿仙趁著媽媽出門，打電話跟露露說抱歉。

「沒關係，那我們就約星期六下午吧！你可以嗎？」電話那頭的露露聲音毫無元氣，顯然也是身陷水深火熱之中。

小學生的人生，不容易啊！

「好，下午2點好嗎？」阿仙心裡盤算著，利用媽媽睡午覺的時候溜出去。

「嗯！」

「對了，琳恩的哥哥有回應嗎？」阿仙心裡不敢有太多期待，完美小天王會理會她們這群小學女生嗎？

「欸，琳恩說她還在跟哥哥商量，她哥哥好像不太願意。之前琳恩跟她哥哥要照片，哥哥也不太願意。達洋一定是很在意自己的隱私。」

果然……這也許是露露這麼無精打采的最大原因吧！阿仙在心裡嘆了口氣。掛了電話，阿仙躡手躡腳出了門，來到小白屋，看著黑板上的資料，像一大片殘缺不全的拼圖；想拼出真相，恐怕還得花上好多時間和精力⋯⋯。

嗚，她好想趕快找到有用的線索，讓真相水落石出喔！

睡覺前，阿仙躺在床上，閉上眼睛祈禱，希望明天的查訪順利。念頭剛落下，就接到露露的電話。

「阿仙！許達洋答應了！他願意跟我們見面耶！」露露的興奮隔著電話依然十分立體。

這是作夢嗎？但明明還沒開始睡覺啊！阿仙簡直不敢相信，神明竟然馬上回應她的祈求！

「星期六早上她爸媽不在，10點到他們家，我們9點小白屋集合喔！我等一下馬上跟小麥說，掰掰！」露露不等阿仙回應，掛了電話。

看來，只好離家出走了！阿仙睡著前，在眾多的出門說法方案中浮出了這個念頭。

「好嘍！我們出發！」明明是最後一個到小白屋，卻第一個喊出發的露露，看起來神采飛揚。

「哇，那是什麼味道？露露，你……你怎麼那麼香？」阿仙摀住鼻子。

汪！汪！叉燒大叫兩聲附議之後，還誇張的用前掌蓋在鼻子上頭。

「哪、哪有？」露露說，「就跟平常差不多啊！」

「玫瑰花香味，超香。」小麥也點點頭。

「哦！你還特地噴香水喔！」阿仙驚呼，她還注意到露露今天也特意打扮了一番——簡直像是要去參加偶像練習生甄選一樣。

「好了，走了啦！」露露轉身，頭也不回的走了。

要是讓露露惱羞成怒，那可不是鬧著玩的。阿仙和叉燒趕忙收斂神色，跟在露露身後出門；小麥則是面帶微笑，不急不徐的跟上。

越靠近琳恩家……嗯，不對，應該說離達洋越近，就越能感受到露露心情飄揚。此刻，三人正坐在琳恩家的客廳裡，露露簡直是飄浮在沙發上的。

「你們好，喝點飲料吧！」，阿仙身後傳來一個男生的嗓音。

一個高䠷的男生，用托盤端著飲料出來。男孩看起來和琳恩一樣有氣質，又很和善；瀏海微微向右刷成了好看的斜線，剛剛好的露出略帶英氣的眉毛，眼神卻像冬天的陽光一樣溫暖。

「哇……真的是許達洋耶！」露露在阿仙耳畔悄聲說著，卻難掩激動。

「唔、唔……」阿仙猛點頭，眼睛也直盯著達洋看。實在是太帥了，而且語氣好溫柔，嗓音好好聽啊！

「我是琳恩的哥哥達洋。」男孩微笑著自我介紹，「你們是來找讓哈吉生病的人嗎？真不好意思，其實不用這樣的，哈吉已

經差不多沒事了。」

「哥，你不要這樣說啦，哈吉很可憐，你不想要找出欺負牠的人嗎？」琳恩說，「她們還找到奇怪的碎肉，就在我們家的院子裡耶！」

達洋聽到琳恩的抱怨，仍是一臉平靜。

「喔？奇怪的碎肉？的確是有點怪。不過，說不定是附近的野貓帶來的，最近野貓蠻多的……」達洋也跟著推理，「但，主要是哈吉已經沒事了呀！而且說不定只是哈吉自己亂吃東西，碰巧引起的……你老是一直幻想有壞人，哪有那麼多壞人。」

「新聞報導就有很多心理不正常的人，說不定有人刻意要害哈吉！」琳恩無法認同哥哥的說法。

「好吧好吧……」達洋舉起雙手，做出投降的手勢，「我只是覺得這只是一個小小的意外，不太可能是有什麼人來害哈吉，畢竟哈吉快康復了，就怕浪費你朋友不必要的時間，高年級的功課也很多吧？」

「啊……那、那個。露露……幫我一起問一下啦！」阿仙感覺到話卡在喉嚨裡，不敢看著對方說話了。

「喔喔！好！」露露回過神來。和阿仙恰恰相反，在這種遇見偶像的時候，正是露露發揮極限潛能的時刻。她迅速調整好自己的心情，以最完美的狀態接續對話。

「既然來了，方便讓我們問幾個簡單的問題嗎？」露露說，「我朋友阿仙個性比較害羞，所以不太敢跟不熟的人說話，請你見諒。」

阿仙覺得露露的音色，比往常甜美了至少一倍。

「好，沒問題。」儘管嘴巴說不需要調查，琳恩哥哥卻仍溫和平靜，對阿仙的舉動也沒有顯露任何不耐。

阿仙趕緊在露露耳朵旁說了一些話。

「想請問一下，你平常帶狗狗去公園，有和人發生過衝突，或者狗狗有造成別人的困擾嗎？不一定是很嚴重的，就是比如說狗狗嚇到人、或者隨地上大號沒處理之類的。」露露問得很清晰，但說到大號的時候，臉微微泛起紅暈。

「哈吉很乖，在公園裡也很聽話，沒有給別人造成困擾，這點我可以確定。」

「請問你們在公園運動有多久時間了？」

這個問題讓達洋思考了一會兒，「應該是兩個月吧……因為獸醫說哈吉需要運動才開始的。」

「那在這段時間內，你有沒有注意過有誰跟你們一樣，固定在這個時段到公園嗎？」阿仙忍不住脫口而出，話說出口，又察覺自己的問題好像有點尖銳，馬上又瑟縮了起來。

達洋的臉閃過一絲錯愕，隨即恢復鎮靜，「沒有，因為我只是想遛狗和放鬆的運動，完全沒有想要認識別人。」

阿仙頭埋得低低的，拚命做筆記。

「公園是指……」露露接著問了之前阿仙要她問的問題。

「就是附近的一個小公園，沿著前面的馬路走，在盡頭左轉後一直往下直走，看到岔路往右轉，再走一小段就會到了，有點不起眼，但應該不難找。」達洋毫不遲疑的說出公園的位置。

「哦，原來是那邊的公園，有點遠耶！哥，你小學好友黃佑謙不是住在那附近嗎？」琳恩顯然是第一次知道哥哥和哈吉去這個公園運動。

「嗯……」達洋眼神飄忽，像是在思考的說：「好像是吧？不太確定。」

「遛狗的工作果真是達洋全權負責啊……可是自己好友的家怎麼會不清楚呢？」阿仙心想。

阿仙又在露露耳邊悄悄說了幾句話，她還是不太敢直接跟許達洋說話。

想到許達洋可能會覺得「這女生好怪！」，讓阿仙有些氣惱自己，此刻卻沒有別的辦法。

「帶狗狗去公園的時候，會用遛狗繩嗎？」

「哈吉很乖，所以不用遛狗繩，牠真的很溫和，你要牠在原地不動，牠就會乖乖聽話。」

「你們在公園裡都做什麼呢？」

「就讓哈吉跑一跑，運動運動，我也順便跑跑步。」

「沒有人說過狗狗很可愛之類的話嗎？」

「嗯……印象中沒有，因為我都戴著耳機聽音樂，也不太注意旁邊的事情，所以……。」

「狗狗平常除了去公園，還會到別的地方嗎？」

兩兄妹互看了一眼，很有默契的搖搖頭。

「就是星期六出去運動兩個鐘頭，其他都在家裡。」

「那，」露露看了阿仙筆記本的問題一下，「狗狗生病當天，你們是幾點出門，幾點回家的呢？」

「啊，因為我們那天去參加小提琴發表，所以大概8點就出門了，一直忙到下午4點左右才回來。」

「全家一起去嗎？」

「對，我們全家一起去，一起回來。」

「出門的時候，狗狗的狀況都……都還正常嗎？」由於露露穩定了場面，阿仙總算敢開口問話了。但她還是不太敢看著達洋的眼睛。

「很正常。」對於阿仙的舉動，達洋像是完全不在意，對著阿仙的側臉說話，「我出去之前，還幫哈吉加了乾糧，牠看起來沒有異狀。」

「請、請問……**憨吉**……**哈**、**哈吉**……是被拴起來的嗎？」

「是的。」達洋露出有點無奈的苦笑，「因為媽媽怕狗狗趁沒人注意時把家裡的花園弄亂，但其實哈吉很乖的。」

「所以回、回、回家的時候，狗狗的狀況是怎麼樣呢？」阿仙問。

「狗狗就趴在狗屋旁邊的地上，哼哼唉唉著，還吐了，接著我爸就送牠去醫院了。」

整體而言和琳恩的說法一致。

達洋回答完後，空氣一陣靜默。阿仙清楚聽到風吹過樹梢，樹葉發出的沙沙聲，更凸顯了這個住宅區的寧靜。比起來，總是充滿各種聲音的小白屋，簡直就像人聲鼎沸的夜市。

露露轉頭看向阿仙，阿仙點點頭表示問題問得差不多了。露露對著琳恩說。「那我們就先進行到這裡，後續有什麼發展再跟你聯絡喔！」

「嗯……謝謝你們，就麻煩你們了。」

琳恩和達洋陪著三人走出屋子，經過庭院時，阿仙突然問：

「哈吉回來了嗎？我們可以去看看牠嗎？」

琳恩和達洋面面相覷，「哈吉再過幾天可以出院，但我最近要準備考試，爸爸媽媽怕我分心，出院後還會讓哈吉在寵物旅館多待幾天，下星期才回來。」達洋回答。

「這樣啊，真可惜，本來想跟哈吉打招呼。」阿仙真的想看看這隻乖巧又可憐的狗狗。

琳恩和他們道別的時候，臉上的表情，看起來有些失望，同時也有好多好多的期待。

「琳恩和哥哥真的好像貴族偶像呢。」離開琳恩家一段距離之後，阿仙感嘆的說，「看起來的確不太像是有人會刻意找他們麻煩。」

只能期待到公園時，能有些收穫了。

「那，我們現在該做什麼呢，仙？」露露問。

「我想，去公園之前，還是到那家去問問看。」阿仙指了指在狗窩對面的那戶人家。「看會不會剛好有人看到哈吉生病那天，有可疑的人靠近琳恩家，甚至看到有人餵哈吉吃東西。」

「可是琳恩不是說沒有人住嗎？」小麥看似漫不經心，其實都默默的在留意。

「就……就試試看嘛！說不定剛、剛好有人呀。」

是呀，要是剛好有人，而且剛好目擊了嫌疑犯對狗狗做了什麼，一切都好辦了。剛出道的菜鳥偵探阿仙還抱著一絲希望，想碰運氣。

她們來到離狗屋最近的右側鄰居家。

一看到信箱裡的信有增無減，阿仙就有不好的預感；按了許久的門鈴，久到她們怕琳恩兄妹聽到才放棄。果然，沒有任何人應門。

「嗚哇——怎麼辦，好像很困難，這真的有辦法破案嗎？」阿仙抱住頭，發出哀號。

「唉，你現在才想到這一點啊！」露露拍拍阿仙的肩膀，「之前琳恩在總部問你有沒有信心破案的時候，我一直在跟你打暗號，要你不要隨便答應，你都沒看見喔？」

「怎麼辦？」

「欸……」小麥似乎要提出建議，阿仙屏息以待……。

「現在放棄還來得及。」小麥的話像通了電，讓阿仙整個人跳了起來。

「什麼？放棄？怎麼可以！不行！我要振作起來！」

「你不會瞬間又復活了吧！」露露又好氣又好笑，對小麥投以佩服的眼神，果然還是小麥的激將法有效。

「嗯！」阿仙目光炯炯，「我不會輕易被打敗的，我要破案！絕不放棄！」

「很好、很好，那你現在有什麼打算？」露露臉上的笑容，像是在看著自己可愛的三歲女兒。

「既然知道公園的位置，那就去查查看有什麼吧！絕不能遺漏任何可能的線索。」一旦偵探魂上身，阿仙又執拗得不可思議。

「啊！」

「怎麼了！」聽到阿仙突然慘叫，小麥趕緊關心。

「我這豬頭！我竟然忘記帶哈吉的照片！」

「我幫你帶了啦！」露露從包包裡拿出另一張照片。

「呼……還好有你，不然差點白跑一趟。」

小麥對著露露比出一個大大的讚。

他們沿著達洋指示的路，搭配小麥下載的地圖，走了頗長的一段路，來到了一座「小公園」。

這座公園，範圍不大，十分靜謐。四面都被一個老社區包圍住了。

入口處寫著「民生公園」的燙金書法字體，退色脫落得幾乎難以辨認；入口附近的鐵椅也同樣漆面斑駁，可見這座公園歷史悠久。

兩旁茂密的大葉欖仁樹，讓整座公園顯得陰涼；被秋天催紅的葉片，為公園點綴了些許暖意。

阿仙注意到，由碎石板鋪成的步道並不寬，大概只能兩個人錯身。步道兩旁全是低矮的灌木。

一條環繞公園的步道，兩座小涼亭，還有放置了幾樣公園常見運動器材（伸展運動）的區塊看起來格外醒目，甚至有些突兀。

或許並不是人口特別多的地方，也或許是因為比較陽春，即使在週末，公園裡面並沒有太多人，只有兩三位阿公阿嬤在涼亭裡閒坐、聊天。

她們路過幾張老舊的長鐵椅。公園的中心，有一個池塘，長滿濃密的青苔綠藻，還有不知名的水生植物。

三人腳步輕巧的朝那幾位老人家走去，面向她們的一位阿嬤一直以打量的眼光盯著她們，讓阿仙不由得手心冒汗。

阿仙事先預備了幾個問題，讓露露可以進行訪問。露露願意幫忙，阿仙真是大大鬆了一口氣。她只要一緊張就容易說話打結，說錯話。

阿仙覺得露露有種超能力，可以在兩種不同人格間轉換。兩種都讓阿仙很崇拜，兩種都是露露，阿仙兩個都喜歡。

「爺爺、奶奶好。」平時像個小男生一樣率性，甚至有點粗野的露露，在必要時刻就會變成人見人愛的甜姐兒。

「你好！」爺爺奶奶露出慈祥的笑容。

「以前沒看過你們呢。」一位滿頭銀髮的奶奶說。「念幾年級啊？」

「我們今年五年級，今天第一次來這個公園。」奶奶記憶力很好耶！」露露自然而然的讚美讓奶奶卸下心防，呵呵笑。

「你們住在哪裡？不是這附近的人吧！」

「我們住在平安社區那邊，來找住在這附近的朋友玩。」

三個老人家點點頭。

「我朋友家的狗不見了，聽說牠會到這個公園來運動，我們就過來幫忙找。」露露說得跟真的一樣，「遇到您們實在太好了！剛好可以請問您們有沒有看到狗狗。」

「這樣喲，是怎樣的狗？」

「牠是一隻拉不拉多，米白色，有這麼大，」露露拿出哈吉的照片，比了比大腿的高度。「我朋友的哥哥每個星期六早上大概8點到10點會帶牠來這裡運動，也許您們有印象。」

「我女兒每個星期六會回來，所以星期六我不會來公園，真不好意思。」剛剛開口跟她們說話的奶奶說。

「我看看。」一位爺爺接過照片，一會兒湊近，一會兒拉遠，好像看得有些吃力。「是不是那個高高的男生？他的確是有帶一隻狗。」

「可能是喔，狗有這麼大隻嗎？」另一位奶奶也湊過來看。

「有啦！可是我覺得是黃色的吧，那個跟狗玩的男生也帶黃帽子。」

「那個男生哪有跟狗玩？他把狗丟著就跑了。是說狗很乖，都沒有亂跑。」

「怎麼沒有？男孩跟狗狗的感情很好啊！」

另外兩個爺爺奶奶聽來會在星期六早上到公園活動，而且，有看過達洋和哈吉；但兩人的記憶似乎有出入，你一言我一語的討論起來。

在一旁靜靜聆聽著的阿仙，突然提問：「爺爺奶奶不好意思，我可以請問您們，會有很多人在星期六早上的這段時間到這裡遛狗嗎？」

兩個老人家一起停下來，看向阿仙，「沒有啦，大部分都是住在我們這附近的人，像那個小玲、阿志啦！都是每天下午帶狗來這裡散步。附近有一個新的運動公園，現在大部分的人都去那邊啦。星期六喔，大家都睡得比較晚。」爺爺一口氣說了這麼多，好像有點辛苦，「只有那個男生來這裡遛狗。」

「那、黃色帽子是哪種黃色帽子？」阿仙問。

「上面好像有寫……愛迪達。」爺爺想了一下。

「愛迪達嗎？您確定嗎？」

「應該啦，愛迪達不是名牌嗎？」爺爺說，「愛迪達！沒錯啦！黃色棒球帽，白色的字。就是愛迪達啦，我孫子也有愛迪達，不會錯！」爺爺很篤定。

「黃色愛迪達棒球帽」，阿仙邊在筆記上記錄，邊想像達洋戴著帽子的模樣。

如此說來，爺爺奶奶口中的男孩和狗狗，應該就是達洋和哈吉。只是，為什麼兩人對於男孩和狗互動的說法不一致？

阿仙正想再追問一些問題，露露突然扯扯她的衣服，湊到耳邊悄聲說：「我得回去了，我媽說一定要在12點以前回家，不然我就休想再出來了。」

一語驚醒夢中人，阿仙想到自己是「不告而別」，肚子裡胃酸突然湧了上來。

看來今天也只能到這裡了，至少確定達洋和哈吉有來過，其他的，明天再說吧！還看得到明天嗎？阿仙真想哭。

「爺爺奶奶再見！謝謝您們，不好意思打擾了，再見。」三人有禮貌的跟老人家揮手告別，畢竟，「好孩子做到底」嘛！

臨走之前，他們打算繞公園一圈，確認環境。沒想到卻越走越荒涼，最後發現是條死路。原先以為是環狀步道，看來是判斷錯誤。

不得已，他們只好往回走。

回到大門口之後，他們改走另一邊。步道的另一邊顯然不如剛才那一邊舒適，地面碎石頭不少，也沒有任何運動器材，甚至長了不少跟阿仙小腿肚一樣高的雜草，蔓生到路面來，讓原本就不寬的步道，更顯得狹窄。路旁的幾張鐵椅，甚至還被草淹沒，而且覆蓋不少汙泥鐵鏽，一副不歡迎人類屁股的姿態。

叉燒還是很快活。身為一隻小型犬，這樣的環境對牠來說還是很自在。但對三人來說，這條路走起來不太舒服，更遑論運動。

和露露、小麥道別後，阿仙先回到小白屋，她急著把剛才的筆記寫下來，免得忘了。人的記憶很不牢靠，這點光是看她的考卷就知道。

狗狗很乖，這點幾乎大家說詞都一致。可是，男孩，也就是達洋，怎麼落差這麼大呀？是不是剛好去上廁所才離開狗狗的？和達洋接觸過後，阿仙覺得他真的是個好人，不自覺開始為他找合理的說法。

但阿仙心裡面不知怎麼的，就是無法釋懷，好像有什麼地方不對勁。

不行！明天早上再去一趟吧！要是遇到其他見過達洋和哈吉的人，就有更多的證詞可以比對了。

沒想到，當偵探真的不容易啊！……阿仙看著黑板上越來越多的資料，頭有些發疼起來。

怎麼看這些線索，都沒辦法兜攏在一起，看不見能夠從中找到犯人的機會。

該怎麼辦呢？

唉！該回去了，現在，阿仙要面對的，是查案最大的阻礙——自己的媽媽。

「夏蔚仙！你又給我跑去玩！功課寫了沒？」阿仙一進門，媽媽比平常高八度的嗓音第一時間就穿透阿仙的耳膜，長驅直入腦門裡，讓阿仙嚇得縮起身子。

「唉喲，我們家阿仙一定是去幫助別人了。」爸爸趕緊滅火。

「你讓開，不要再幫她說話，這孩子就是一直沒把自己的本分放在心上！」媽媽如同往常一樣揮舞著手上的鍋鏟，音量不斷提升。

「你知道，熱心助人的孩子就是有好品格、善良……完全就是我們家媽媽——我太太的完美遺傳。人家不是說嗎，好品格才是幸福人生的基石，而不是聰明才智。」仙爸滔滔不絕，舌燦蓮花。

「夏大宇……把你的文采用在寫作上！」仙媽瞪著仙爸，「別以為我不知道你在想什麼……每次都這樣……。」

「唉呀，我說的都是真的，百分之百、千分之千、萬分之萬的真心！」

「哎喲，我不管了，以後

這孩子找不到工作，你來養她。」媽媽轉身往廚房去，「吃飯啦，吃完飯趕快去讀書啦！」隨即哼起歌來。

在爸爸的搞笑調停下，媽媽總算又好氣又好笑的放過了阿仙；不過，媽媽也撂下狠話，如果期末考有任何一科考不到九十分，那就得放棄當偵探。

「夏蔚仙，在幫別人之前，先幫幫你自己！」媽媽是這樣對她說的。

可是，躺在床上，阿仙就是無法停止思考這件案子。今天在公園訪談的期間，阿仙不停觀察，她隱隱覺得，這座公園似乎少了點什麼。到底是什麼呢？

啊，草地！

和一些新規劃的公園相比，這裡缺少了大面積的草地。整個公園的動線被各種老舊的設施切分得很零碎，其實不適合運動；唯一有的現代設施，恐怕就是剛剛路過的那一小區運動器材了。

「嗯……對叉燒這樣的小狗來說，這座公園或許還挺自在的。但是對一隻需要運動的大狗來說……這裡是一個好選擇嗎？」阿仙想著。

那達洋呢？這樣的場所他有辦法「放鬆的跑步」嗎？

「達洋平常在學校就不喜歡運動嗎？」阿仙實在想不通，忍不住打電話騷擾露露。

接起阿仙電話的時候，露露正在臉上拍保溼化妝水，發出啪啪的聲音。露露有點摸不著頭緒，「許達洋是個賽跑高手，經常在大太陽底下練跑，超帥氣，超閃亮的。是說，你幹麼這麼晚問這個？」

「嗯……」阿仙沉吟著，「所以帶哈吉去那座公園運動，在這樣狹窄的公園跑步兩個小時，好像有點困難。」

「或許……達洋就是去散散步……。」露露終於知道阿仙打電話的目的了。

「也不是不可能……」好吧！達洋就算了，可是……阿仙想到喜歡到處亂逛的叉燒，狗狗通常都很能自得其樂；但是一個星期才一次、特意帶狗狗去運動，不是更應該好好讓狗狗跑一跑嗎？

尤其是那種體型的狗狗。

阿仙想起家裡偶爾也會特地帶叉燒到公園的草地跑跑，看著叉燒在寬闊的草地上甩著舌頭和耳朵瘋狂跑跳，身上閃耀著金光，真是可愛到破表。

「喂，阿仙，我媽叫我！我得過去一下。」露露壓低聲音。

「啥……是喔……好吧！」阿仙說，「今天就先告一個段落好了，幸好有露露的幫忙，得到很多資料。」

「嘿，說什麼呢，我也很享受辦案喔！」露露笑了。「好了，我掛電話了。掰！」

「掰！」

露露家對她的課業要求頗高，露露儘管不時抱怨，卻還是盡力依照爸爸媽媽的期待努力。露露平時補習超多，還能經常來到小白屋，就已經難能可貴了。

也因為如此，阿仙格外感動，露露總是給予自己滿滿的支援。

明天早上，就不打擾露露和小麥了，自己去公園一趟吧！是自己說要開偵探社的，怎麼可以把事情都推給朋友。

想到這裡，阿仙關掉夜燈，逼自己進入夢鄉。

# 再訪公園

三人查訪公園後的隔天，阿仙自己一個人，又到了公園一次。8點半左右，公園果然如爺爺奶奶所說，瀰漫著假日慵懶的氛圍，涼亭裡，只有昨天見到的那個奶奶，一個人悠緩的做著體操。

「咦，小妹妹，你又來啦？狗還沒找到嗎？」奶奶瞥見阿仙，親切的打招呼。「你的朋友沒有來喔？」

「奶奶您好！」阿仙靦腆的點點頭，今天沒有露露，自己得要打起精神應對。

「奶奶，今天也只有您一個人呀？昨天那位爺爺不會來嗎？」

「會啊！只是他都會先去市場逛逛，9點以後才來。」奶奶對爺爺的行蹤掌握得一清二楚。

「哦，」阿仙說出這個字後，一時間竟不知道要再說些什麼，便靜靜的走到奶奶身邊，不自覺的一起做起健康操來。

「一二、一二……嘿咻，嘿咻！」

不到9點，奶奶就說要回去準備午餐的材料了。而爺爺果然在9點鐘過後不久出現了。

「少了哈吉，達洋會自己過來運動嗎？」阿仙忍不住在心裡這樣想。

答案是否定的。一直到10點，前後只有奶奶、阿仙和爺爺三個人到公園報到。

這天，阿仙一無所獲的回家了。喔，也不能說是完全沒有收穫，至少確定這段時間，沒有其他人到這裡遛狗。

時間已是12月。

自從查訪公園後，轉眼又過了一個星期，小麥卻沒再來過小白屋。

雖然知道小麥一定是為了檢驗找到的證物在忙碌，但小麥變得和她們如此疏遠，還是頭一遭。

「小麥……。」好久沒看到小麥，阿仙和露露簡直到了渾身不舒服的狀態。

「我寫電子郵件給小麥，她說她在姐姐的實驗室。她變得好嚴肅喔！竟然還要我不要吵她做實驗耶！」露露在電話裡訴苦。

「嗚嗚嗚……我們不是閨蜜嗎？」

「啊……露，你別太難過啦，她對我也這樣。」阿仙雖然嘴上這麼說，其實心裡也有點受傷。「就因為是閨蜜，所以才會有話直說啊！」

「噢……。」

「而且，我們兩個最了解小麥。她平常看起來很像樹懶，但是，一投入她有興趣的科學問題，就會變成冷血動物。她沒有惡意，只是鬥魂燃燒而已啦。」阿仙像是說來安慰自己一樣滔滔不絕。「小麥為了這個案子一定也很努力。我昨天請她教我查地圖，結果她今天直接就幫我查好，還把地圖寄來給我耶！」

「真希望小麥趕快回歸小白屋，我好懷念三個人一起吃東西聊天的日子。」

「嗯，我也很想趕快見到她。」阿仙望著空空的沙發說。

小麥申請在家自學，所以不用到學校去，一直讓阿仙很羨慕。平時阿仙來到小白屋時，十之八九小麥都會在，安安靜靜的坐或躺在沙發上，彷彿就像小白屋的一部分，甚至更像小白屋的真正主人。好久沒有這麼長時間沒看到小麥，阿仙真有千萬個不習慣。

露露最近也被學校課業和補習逼得很緊，來小白屋的時間減少許多。阿仙很想耍任性撒嬌要露露過來，但她知道露露爸爸的條件就是成績要達標，不然就要限制露露來小白屋的時間。露露很審慎的面對課業，也都是為了自己和小白屋呀！

往常熱熱鬧鬧的小白屋，如今卻空空蕩蕩，讓阿仙有點低落。

「汪！」叉燒彷彿看穿主人的心思，用全力大叫了一聲。

「喔！燒燒！」阿仙將叉燒抱在臉頰邊，親密的蹭了又蹭，

「對，還有你陪我呀，你是我最最好的兄弟！」

「汪！汪！」叉燒很得意自己讓主人打起精神來。

這一個星期，阿仙逮到機會就想到小公園和琳恩家繞繞，她樂觀的期待著，搞不好自己會好運的碰巧遇到什麼關鍵證人，就像她對發票僥倖中獎了一次那樣。

可惜天不從人願，無論阿仙跑了幾次，能問的人都問了，能提供關鍵線索的證人，卻像被命運之神刻意藏起來一樣。

「拜託！可不可以出現一個關鍵證人或證物！我可以無限供應養樂多！」阿仙在心裡吶喊。

要如何找到犯人，或者，究竟有沒有犯人，她自己也越來越不確定了。

不行、不行！原本盤腿坐在沙發上的阿仙狠狠拍了拍自己的臉頰，「振作起來，夏蔚仙！」

她站起身來，走到黑板前面試著從頭釐清思緒。

先不去想犯人。那麼，假設那一坨肉就是犯案的工具，會是什麼肉呢？雞肉？豬肉？牛肉？魚肉？

是用什麼方式製作的呢？看起來像是……絞肉……那就是肉

確認當天作息 → 參加音樂會

嫌犯 1　可能是哥哥，外帶含辣椒的食物，餵給哈吉，動機？

嫌犯 2　一個動機不明的外人，仇恨 / 嫉妒 / 意外，餵哈吉吃了含辣椒的食物？（為何受過訓練的哈吉會吃？若是不熟，是否有人聽到狗吠？）

鄰居／同事／同學／可能接觸過的人

→ 公園認識的人，每星期六早上 8:00 ～ 10:00

→ 戴黃色愛迪達帽子

是不是哥哥？說法不一

犯案時間：待確認

當日時間軸

→ 11/18 星期六早上

音樂會 8:00 ～ 16:00

犯案工具：含辣椒的食物，待確認

肉丸／肉排？

之間的關係？如何取得？

丸子、獅子頭，或者是肉包子的內餡、漢堡排？

唉，想到這裡又撞牆了！

小麥！你有聽見我的呼喚嗎？我需要你！

阿仙真想跑去里長家用廣播器廣播。

小麥本來就比較沉默，大多數時候都靜靜的不說話。可是，當小麥真的不在總部裡，阿仙體會到像真空一樣的安靜。她這才意識到，小白屋的空氣裡經常都瀰漫著薄荷的氣味，現在卻只剩下空虛和寂寞。

先前被滿腔熱血撐至表面張力的偵探夏蔚仙，此時卻感覺自己變得空空如也。

門突然打開了。

「小麥！」阿仙毫不猶疑的轉身大叫，一定是神明聽到她的祈求，把小麥傳送過來了。

「嘻嘻，是大野狼喔！」爸爸咧著嘴露出兩排牙，阿仙的臉頓時垮了。

爸爸無視阿仙的沮喪，逕自衝到冰箱前，打開冰箱。

「啊哈！我就知道有好料。」爸爸拿出一罐養樂多，粗魯的用手指戳破鋁箔。咕嚕咕嚕喝了起來。

不用幾秒，養樂多就被消滅了。爸爸又隨即秒殺了第二罐。

「哇，好冰。」爸爸扯著他的大嗓門說，「彈藥充足，不錯不錯。能量充滿！」

「啊！」爸爸發出酣暢的感嘆聲，「好冰好過癮，不過，你可別喝太多啊！」

「爸，你怎麼突然跑來？」阿仙問。

「哈，寫稿子卡住了嘛！」爸爸露出無奈的表情，「所以轉換一下，等一下順便帶你一起散步回家吃飯，媽媽今天煮了酸菜白肉鍋喔！」

爸爸平常總是待在家裡的小閣樓寫作，有時候會突然出現在小白屋。

「喔。」平時的阿仙聽到酸菜白肉鍋，一定會立刻開心的滿屋跑跳，可是現下她真的一點心情也沒有。

「咦……」爸爸給自己倒了一杯開水，「我們家大偵探阿仙怎麼有氣無力的啊？」

「唉！」在爸爸面前，阿仙沒有辦法假裝堅強。「不要叫我大偵探了啦！……聽起來有點諷刺……我好像很不自量力。」

「啊，爸爸沒有諷刺你啊，我是真心覺得阿仙可以當好偵探的。」爸爸遞過來一罐養樂多，「要不要跟爸爸聊聊？」

噗，爸爸放了個屁。

「抱歉、抱歉。」爸爸臉紅了，還站成了內八字。不過爸爸每次都這樣，根本沒有打算改變愛亂放屁的習慣，阿仙早就習以為常了。

「爸爸覺得我可以成為一個厲害的偵探嗎？」

「嗯……我想……厲不厲害我不敢說，但，阿仙只要努力，一定可以成為一個好偵探的。」

「啊……什麼啊？厲害跟好，有什麼差別。」爸爸對自己當偵探的看法，好像是肯定，卻似乎又少了點什麼，阿仙開心不起來。誰不會想要被稱讚「很厲害」啊？阿仙咕嚕咕嚕灌了幾口養樂多，接著咕嚕咕嚕的把案子和遇到的困難跟老爸說了。

「啊，原來是這樣啊！」

「總覺得有很多線索，根本是不可能查到的……有很多推論，也沒辦法求證，好像怎麼走都是死巷……超悶的。」阿仙說。

「當偵探，真不容易呢！」爸爸說，「爸爸寫故事也是這樣，想一百個點子，其中大概只有一兩個才能成為真正的故事。而光是把每個點子都努力嘗試發展看看，常常就花了很多時間，……結果還是行不通。」

「那怎麼辦？」

「想不出來的時候，就做一點別的事情……比如說，」爸爸用右手食指刮了刮自己早上沒刮乾淨的鬍渣，「爸爸想不出故事，就會去撿東西，或者動手改造——小白屋就是這樣一點一滴搭建起來的。從爸爸還是一個人，到後來認識媽媽，到後來有了阿仙，一點一滴，建造，才有了現在的樣子。然後，在過程中，竟然寫出了不少故事。」

爸爸雖然大多數的時間都忙著寫稿，但閒暇時會四處收集一些別人不要的「寶物」。小白屋裡的許多東西，都是爸爸「撿」回來的。

比如小白屋裡的植物、盆栽，都是別人準備丟棄的。有些東西剛撿回來的時候，狀況糟透了。但爸爸一點一點的修復、整理，最後都成功復活，甚至變身成美麗的老物件。

嗯，我們所得到的線索裡，有哪些是需要我們去「修復」的呢？阿仙陷入沉思。

「你還記得嗎？當時這個小冰箱的主人要淘汰這個小冰箱，說會放在騎樓讓我們去拿，結果我們早到了，誤以為擺在騎樓的保險箱是冰箱，就把它搬了回來，後來才知道那個主人根本還沒

有把冰箱搬下來，唉喲，那個保險箱超重的，我還閃到腰。」爸爸邊說邊做出閃到腰的動作，想要搏阿仙一笑。

但這段話卻像閃光，突然照亮了阿仙腦中的某個角落，讓躲在那裡的想法顯影出來。「先到……後到，不同的東西，誤以為相同……。」阿仙喃喃自語，就快接近了！到底是什麼？拜託，讓我想出來！

「好啦，阿仙！時間不早了，在這邊坐困愁城，不如先回家吃飯吧！」爸爸猛的拍了拍阿仙的肩膀。「吃鍋解百憂！對吧？叉燒，走吧！」

「汪！」

「等等！我快想出來了！」阿仙急得大叫。

「快一點！媽媽最討厭讓湯涼了。」爸爸和叉燒根本自己嘴饞想吃飯，不等阿仙反應，早已走到門外去了。

可惡！一旦著急起來，靈感全跑光了。跟在爸爸身後離開小白屋的阿仙，又焦急又沮喪。神啊！請讓剛才的想法現身吧！

爸爸旁若無人大聲哼著不知名的自創曲調，阿仙跟在一旁，低著頭，靜靜的走著，她還在和那狡猾隱匿的靈光一閃纏鬥。又燒跑在最前面，不時停下腳步回頭吠叫，顯然是迫不及待，催促著這對慵懶父女。「喔！媽媽煮的白肉鍋好香喔！」爸爸突然發出高聲讚嘆，劃破了小巷弄的寂靜。

阿仙回過神來，離家還有一小段距離，就已經嗅到媽媽煮的火鍋的香味了。

媽媽熬的火鍋湯頭又香又暖，阿仙肚子瞬間咕嚕咕嚕餓起來了，算了！吃飽才有力氣思考。

一想到這裡，阿仙的心情也不知不覺好了起來，露出了微笑。

## 嫌疑犯現身？

星期一放學，阿仙又是第一個進到小白屋，她略感失落的為自己倒杯飲料。

鈴鈴鈴鈴鈴！鈴鈴鈴鈴鈴！

小白屋裡的電話突然鈴聲大作。

老天，真該換掉這個電話，不然哪天恐怕真會被嚇死。這台電話可能是小白屋裡唯一一件令阿仙略感困擾的物品。

這麼說也不對，她很喜歡這台墨綠色的老電話，只是它的鈴聲真的不適合精神衰弱、容易受驚嚇的自己。更別說，沒有來電顯示也很不方便。

阿仙決定，等到偵探社有第一份真正的收入，一定立刻換一台有美麗音樂鈴聲的電話，比如像是「答啦啦零嘟鈴……」，或者「低哩低哩叮叮叮……」這樣柔美的音色，然後把現在這台骨董電話變成裝飾品。

阿仙思忖著打這通電話的人是誰，若是小麥，搞不好證物會有新的突破；若是琳恩，她想探探那天吃白肉鍋時捕抓到的想法（當時阿仙突然尖叫，讓爸爸把湯都灑了），她覺得自己的推理應該是正確的。

鈴聲不屈不撓的響著，對方是個不輕易妥協的人啊！最後，她還是用比自己想像更快了一點點的動作，接起電話。

「小白屋偵探社，您好！」

「你好，是阿仙嗎？我是琳恩，請問你找到兇手了嗎？」是琳恩。

「還、還沒……」阿仙雖然早就在腦海沙盤推演過好幾回怎麼和琳恩對話，但聽到琳恩表層溫柔、底層卻緊緊逼人的聲音，還是退縮了。

「請問你到底有沒有把握破案呢？」琳恩柔柔的說著，「我對你們抱著很大的期待。」

「呃……我……。」阿仙最怕感受別人對她失望了。

「那到底現在查到什麼線索了？應該有進展吧？」琳恩的語氣中透露出強烈的盼望。「我爸爸發現我還在想辦法調查這件事情，覺得我不應該花時間在這些事情上面……我恐怕沒有時間再等了……。」

「我、我、我……。」

「請阿仙同學一定要加油，如果你查不出來，我真的不知道該找誰幫忙了。」琳恩的聲音聽起來好失望，讓阿仙覺得自己像一個沒有帶回寶藏，讓公主傷心失望的騎士。

好，不要再遲疑了！

「你、你別太擔心，我一直在努力……」阿仙囁嚅著，「啊！對了！請問你哥哥有黃色的愛迪達棒球帽嗎？」

「咦……我不確定耶……印象中好像沒有，他好像不喜歡黃色耶。」電話那頭，琳恩的聲音有些猶豫。

「那就奇怪了，有人看見戴著黃色愛迪達棒球帽的男孩在公園和哈吉玩。」

「真的？我記得哥哥不太喜歡戴帽子，因為帽子會壓壞他的瀏海。你確定和男孩一起玩的狗是哈吉嗎？會不會是別人和別的狗？」琳恩的語氣已經開始略顯不耐了。

「呃……目前知道狗狗是哈吉沒錯。」阿仙說，「可不可以請你在哥哥不知道的狀況下，幫我確定哥哥有沒有戴黃色帽子去遛狗好嗎？」

「為什麼？你在懷疑我哥哥嗎？」一聽到阿仙的請託，琳恩的聲音逐漸尖銳起來。「會不會太誇張了？」

「啊……不好意思，不好意思……這件事當我沒說……。」

在琳恩的情緒下，阿仙只得連聲道歉。

「麻煩你用心一點，不要亂揣測，有新進展再跟我說，謝謝。」聽得出琳恩試著穩住情緒，保持禮貌。

掛斷電話之後，阿仙更加確定自己的推測，甚至因此有點坐立難安；若是真如自己所想的那樣，那躲藏得很好的「嫌疑犯」或許露出一點點影子來了。

嗚，阿仙的胃咕嚕了一聲，不知道是胃痛還是肚子餓。得先吃點東西墊墊了。

阿仙打開爐火，在雪平鍋裡燒了一些水，打算為自己煮一包泡麵。

一般來說，泡麵用泡的又快又方便，麵也比較不容易爛，但有些時候，泡麵就是得用煮的。煮泡麵，有助於思考——這是小麥的名言。這句話十分真切，充滿智慧，阿仙一直奉為圭臬。唉呀，這麼一想，阿仙更想念小麥了。

「汪！汪！」叉燒在阿仙的小腿旁激動的來回走動，不時發出「麵快好了！我也要吃！不要煮太爛！」的提醒。泡麵在小鍋子裡沸滾著，小白屋裡滿是泡麵美好的香氣，用筷子輕輕攪動泡麵的阿仙，心情漸漸緩和下來。

阿仙把泡麵平分成兩份，一份先過了一下水，才給叉燒。

嘶——阿仙吸了一口麵。

總算在四處碰壁後摸索到一個小洞口了，但，這個洞一旦鑿開後，裡面到底隱藏了什麼？阿仙還是毫無頭緒。真希望能有多一些線索呀！

要是自己能像柯南、福爾摩斯那樣擁有天才頭腦就好了。

嘶——嘶——阿仙連吸了好幾口麵。

他們三人之中，成績最好的應該是小麥吧？小麥對科學、機器一類的東西很有興趣，也很有天分，以前還在上學的時候，常常被要求代表學校參加科展；但小麥只對自己喜歡的內容有興趣，大多數時候都拒絕了。

唉呀，才一轉眼，泡麵竟然已經空了。可惜剛剛那包泡麵已經是小白屋最後的庫存了……肚子好像還沒滿足，心裡也有點空虛。一定是不斷思考，用腦過度，更容易感到飢餓吧。

不知道小麥在做什麼呢？露露今天會來嗎？

夾起鍋裡殘存的合成肉塊，阿仙想起了那塊讓她魂牽夢縈的「肉排」。

阿仙記得發現「肉排」時，小麥的眼神就好像考古專家挖到恐龍的骨頭一樣，整個世界只剩她和那塊肉了。

依照小麥的個性，一定就是回去對那塊「肉排」進行各種研究了吧！

那麼，在小麥查出答案之前，自己還能做什麼呢？繼續追蹤「黃帽子男孩」這條線索吧！

阿仙又哀怨起來。這時候還真希望能有「特殊人脈」，認識員警之類的，這樣很快就能調閱祕密檔案啦、調出監視器的紀錄，搞不好一下子就破案了。

「不對，我要是這樣想，永遠都不可能成為偉大的偵探！我怎麼會有這麼偷懶、這麼沒出息的想法呢！一流的偵探就是要在有限的線索和資源中，運用自己的能力來破案！」

——未完待續

故事 ++

# 小吃貨辦案～地獄鬼椒事件（上）


文　王宇清
圖　李秉軍

總 編 輯　陳怡璇
副總編輯　胡儀芬
責任編輯　王致凱
助理編輯　俞思塵
美術設計　捲捲
行銷企畫　林芳如
出　　版　小木馬／遠足文化事業股份有限公司
發　　行　遠足文化事業股份有限公司（讀書共和國出版集團）
　　　　　23141 新北市新店區民權路 108-2 號 9 樓
電　　話　02-22181417
Email　servic@bookrep.com.tw
傳　　真　02-86671056
郵撥帳號　19504465 遠足文化事業股份有限公司
客服專線　0800-2210-29
法律顧問　華洋法律事務所　蘇文生律師
印　　製　通南彩色印刷股份有限公司
　　　　　2024（民 113）年 9 月初版一刷
　　　　　2025（民 114）年 5 月初版二刷
定　　價　340 元
ISBN　978-626-98951-2-0
　　　　　9786269885695(EPUB)
　　　　　9786269885688(PDF)





國家圖書館出版品預行編目 (CIP) 資料

小吃貨辦案～地獄鬼椒事件 / 王宇清文；李秉軍圖 . -- 初版 . --
新北市：小木馬，遠足文化事業股份有限公司，民 113.09
184 面；17x21 公分注音版
ISBN 978-626-98951-2-0( 上冊：平裝 ). --
ISBN 978-626-98951-3-7( 下冊：平裝 ). --
ISBN 978-626-98951-4-4( 全套：平裝 )

863.596　　113012621